PRESQUE RIEN

DU MÊME AUTEUR

Les Dimanches sont mortels, roman, Guérin Littérature, 1987 ; L'Hexagone, coll. « Typo », n° 89, 1994 ; Le Félin, Paris, 1991.

Les Jardins de l'enfer, roman, VLB, 1990 ; Le Félin, Paris, 1991.

Écrire comme un chat, nouvelles, Boréal, 1994.

Francine D'Amour

PRESQUE RIEN

roman

Boréal

Les Éditions du Boréal sont inscrites au Programme de subvention globale du Conseil des Arts du Canada et reçoivent l'appui de la SODEC.

L'auteur remercie le Conseil des Arts du Canada pour la bourse qu'il lui a accordée.

Maquette de la couverture : Gianni Caccia
Illustration de la couverture : Marian Scott
L'escalier, vers 1940.

Huile sur toile
Collection du Musée des beaux-arts de Montréal
Photo : Christine Guest, MBAM

Diffusion au Canada : Dimedia
Diffusion et distribution en Europe : Les Éditions du Seuil

Données de catalogage avant publication (Canada)
D'Amour Francine

    Presque rien

    ISBN 2-89052-744-1

    I. Titre.

    PS8557.A496P73 1996   C843' .54   C95-941900-4
    PS9557.A496P73 1996
    PQ3919.2.D35P73 1996

Il y a toutes ces vies à mener et aucune n'est la vôtre.

CHRISTIAN BOBIN

LE PETIT MATIN

« Oh le beau samedi que ça va être ! » *Je les entends déjà s'exclamer c'est ce qu'ils diront quand ils verront ce ciel sans nuages où brille un soleil d'été ils siffloteront sous la douche et prendront leur petit-déjeuner sur leur balcon en jouissant de la douceur de l'air*

petit Lou mon voisin nouveau-né prendra le frais dans son landau sous l'œil exténué mais attendri de ses parents qui somnoleront dans leurs chaises longues pendant que Boule Noire le chat fouillera les poubelles du restaurant Xanthos

moi j'errerai au travers de ces tableaux vivants telle une visiteuse en quête du portrait manquant c'est-à-dire d'une figure lui ressemblant je croquerai sur le vif ces tranches de vies ordinaires qui alimenteront mon envie mon dégoût mon ressentiment je traquerai les soupirs les grimaces les malaises car il se trouvera bien quelques-uns de ces personnages familiers pour succomber à cette chaleur écrasante qui persiste depuis des semaines et leur échauffe le sang

nul ne remarquera ma présence parce que je n'ai rien de remarquable

je me glisserai comme une ombre dans la nef de l'église Saint-Viateur où l'on célébrera ce matin les funérailles d'Honoré Bégin le fondateur de la maison Bégin où je chipote sur des virgules à longueur d'année je confierai ma tête d'enterrement à Emmanuel le maître-coiffeur de la rue Laurier qui en fera ce qu'il voudra de toute façon mes cheveux ne tiennent pas surtout par temps humide je passerai un peignoir pastel par-dessus ma robe d'été me dirigerai vers le lavabo avec l'aisance d'une habituée sourirai à mon reflet changeant dans le miroir distribuerai des pourboires à la ronde la porte se refermera sur cette volière jacassante où je me serai efforcée de faire bonne figure je remonterai la rue Laurier d'un pas allègre la tête en fête jusqu'à ce que se dissipe l'illusion d'appartenir moi aussi à l'espèce parlante

l'aventure ne m'attendra pas au coin de l'avenue du Parc que je traverserai en courant de peur d'être en retard à la soirée de gala où je ferai le pied de grue en écoutant les uns et les autres se gargariser de mots un verre dans une main un petit four dans l'autre j'aurai l'air d'en être moi aussi avec ma tête de la rue Laurier ils diront « Tiens! c'est Dominique Légaré » puis ils retourneront à leurs histoires d'amour de travail d'argent ils reprendront la conversation là où ils l'auront laissée pis encore ils ne l'interrompront même pas persuadés qu'ils seront de mon imposture.

« Oh le beau samedi que c'est! » Je les entends déjà s'exclamer c'est ce qu'ils diront toute la journée ils entameront poursuivront termineront des histoires tristes ou gaies qu'ils se raconteront les uns aux autres dans les boutiques les bars les restaurants entrecoupant leurs récits de commentaires de circonstance sur le monde tel qu'il est a été ou sera mon ex-camarade d'université Normand Petit dissertera sur le réchauffement de la planète tout en reluquant les jambes des petites filles qu'il aura attirées à l'intérieur de sa librairie où il a mis en vitrine les bestsellers de la littérature enfantine

ma voisine d'en face Mireille Racine se désolera de ce que cet été qui n'en finit pas de finir l'empêche de revêtir la petite robe-manteau en gabardine prune qu'elle n'a pu se retenir d'acheter une folie mais si ravissante qu'elle ne la regrette pas même si elle ignore encore comment elles s'en tireront elle et Sara pour se rendre jusqu'à la fin du mois

peut-être décidera-t-elle de faire le tour des friperies de la rue Mont-Royal dans l'espoir de dénicher quelque chose de plus léger une camisole en soie grège par exemple parce qu'après tout ça n'est pas tous les jours qu'un théâtre de l'importance du Quat'Sous la convoque à une audition

ma patronne Aimée Bégin-Béland invoquera le soleil pour excuser ses verres fumés derrière lesquels elle cachera ses yeux secs tout en faisant parade de son chagrin comme si la mort de son père Honoré l'avait bouleversée alors qu'en réalité elle sera occupée à se rengorger en silence d'avoir si bien fait les choses

«des funérailles empreintes de simplicité» commentera platement mon collègue Philippe Ravary qui affectionne les formules journalistiques.

«Oh le beau samedi que ça aura été!» Je les entends déjà s'exclamer c'est ce qu'ils diront au moment de se mettre au lit même s'ils se seront fait suer toute la journée à séduire des metteurs en scène à verser des larmes de crocodile sur la dépouille de leur père Honoré à fantasmer

*sur les Lolitas du quartier à fredonner des berceuses pour
endormir leur petit Lou à changer de chemise de coiffure
ou d'amoureux*

*pendant que moi Dominique Légaré je me bercerai de
l'illusion d'en avoir été en me remémorant les événements
de cette journée au cours de laquelle il ne me sera comme
d'habitude rien arrivé.*

Tout en enduisant de gelée coiffante la couronne de cheveux longs de cinq centimètres qui ceint sa demi-brosse, Emmanuel se remet en mémoire les noms des clientes que Cecilia a inscrits sur le cahier de rendez-vous. À huit heures tapantes, Aimée Bégin-Béland, fille à papa docile mais épouse récalcitrante d'un mari «vivant à ses crochets depuis vingt-cinq ans», cheveux cassants en dépit de traitements vitaminés hebdomadaires, manières à l'avenant, mise en plis rapide compte tenu des circonstances, éloge funèbre du paternel Honoré dont les funérailles ont lieu ce samedi, et bilan de santé de la maison d'édition si chère au cœur du défunt président comme à celui de son éminence grisonnante, Aimée la bien nommée, fidèle depuis des lustres à son rendez-vous matinal du samedi malgré ses menaces réitérées d'«aller voir ailleurs si l'on ne pourrait pas faire mieux, moins cher et, surtout, plus vite!»; à neuf heures, Mireille Racine, comédienne mythomane et fauchée, cheveux abîmés pour cause d'infidélités répétées avec des concurrents bon marché de la rue Mont-Royal, distrayante mais barbante à force de tape-à-l'œil et de faux-fuyants, teinture, coupe, conversation émaillée de noms célèbres, et numéro de charme improvisé au moment de régler la

15

note ; à dix heures, une quelconque parente de Cecilia, tante ou cousine éloignée, cheveux vraisemblablement crépus, shampooing, brushing, et tentative d'élucidation du mystère Cecilia demeuré irrésolu jusqu'à ce jour (qu'est-ce qui se dissimule sous la toison d'ébène de cette petite shampooineuse qui fait gentiment son travail, mais qui a la fâcheuse habitude d'esquiver la plupart des questions qu'on lui pose, surtout quand elles concernent ses origines, son âge ou ses antécédents scolaires ?...) ; à dix heures trente, le duo composé de Raphaël Pomainville, diablotin aux cheveux d'ange, et d'Anne-Marie Benedetti, belle-mère à temps partiel des enfants Pomainville – «Un mois sur deux, les quatre week-ends inclus, compte non tenu des urgences, contretemps et titillements imprévus de la fibre paternelle !» – et pigiste à temps plein, une battante en toutes circonstances, professionnelles, sentimentales et familiales, cheveux châtains éclaircis de mèches blond vénitien, coupe, balayage, etc. ; à midi, Dominique Légaré, une employée de la maison Bégin recommandée par sa patronne Aimée, sourire persifleur mais regard mélancolique, cheveux fins qui tiennent mal par temps humide, coup de peigne, et autodérision garantie au moment de répondre au rituel «Quoi de neuf ?» qui inaugure la séance ; à midi quinze, pause sandwich ; à midi trente... trou de mémoire. Rude samedi en perspective !

Emmanuel sursaute en entendant le téléphone du salon Clip sonner à l'étage au-dessous et jette un coup d'œil sur la montre que le beau Jimmy lui a rapportée de son voyage «d'affaires» en Asie du Sud-Est : à peine six heures quarante-cinq, à moins que la Rollex made in Taiwan ne déraille, comme a tendance à le faire l'esprit du businessman depuis qu'il est revenu de son périple asiatique, le crâne tondu et les poches bourrées de camelote... Trafics illégaux en tous genres et faillite imminente. À fuir comme le sida avant d'y laisser sa dernière chemise, ou sa peau, si cela n'est déjà fait... C'est ce que «le» test révélera dans quelques jours. Encore faudra-t-il survivre jusque-là, c'est-à-dire jusqu'à lundi prochain, quinze heures trente...

La sonnerie persiste et enterre le souvenir de la voix éraillée de Jimmy l'assurant que «*there's no need for that fucking test!* J'pète le feu! *as you would say*» et réclamant, entre deux quintes de toux, les quelques billets qui suffiraient à démarrer l'affaire : «*A few bucks, less than a thousand, you'll get it back, I swear...*» Sursautant de nouveau, Emmanuel s'apprête à descendre, puis se ravise. Cecilia aura encore oublié de brancher le répondeur. De toute façon, quelle cliente s'aviserait de téléphoner à une heure pareille? Car, vérification faite, les horloges électroniques du radio-réveil, du magnétoscope et du four à micro-ondes témoignent toutes du bon fonctionnement de la Rollex taiwanaise.

Hélas! il n'en va pas tout à fait de même de son propriétaire. Emmanuel reconnaît en effet les signes avant-coureurs – pouls accéléré, vision embrouillée et suée généralisée – de cette détestable sensation de vertige qui l'envahit chaque fois qu'à son corps défendant l'image de son sang jaillissant dans l'éprouvette s'impose à son esprit. S'efforçant de se ressaisir, il allume son ampli et effectue un balayage des stations radiophoniques que l'appareil a en mémoire. Au *Toujours vivant* de Gerry

Boulet succède la voix revigorante de l'animateur matinal de CKOI qui informe ses auditeurs qu'«il est déjà six heures cinquante», qu'«il fait vingt-quatre beaux degrés à l'extérieur, un record pour un 14 septembre!» et que «le week-end s'annonce rock'n'roll...» Emmanuel actionne le ventilateur de la cuisine. Il se sent déjà mieux. Il boira un grand verre de jus d'orange frais, mangera un plein bol de céréales de blé entier, donnera un coup de fer à sa chemise Dénommé Vincent. Rien ne presse, il a tout le temps. Aimée n'arrivera pas avant huit heures (tapantes). D'ici là, il évitera de penser à l'éprouvette ou à Jimmy, et il se détendra en mettant en pratique la technique de relaxation qu'Ariane Cousineau (l'une de ses clientes préférées – carré mi-long, voix et cœur d'or –, qui n'a pas donné signe de vie depuis son accouchement) utilise avant de se produire en concert. La journée se déroulera sans anicroches. Peut-être même remettra-t-il à un autre jour la résolution du mystère Cecilia? Et si une cliente se présente sans rendez-vous (Françoise Garneau, par exemple, qu'il a croisée l'autre jour – tenue négligée, mine chiffonnée et tignasse jaunissante qui aurait grand besoin d'être traitée...), il ne paniquera pas, mais s'arrangera pour la coincer entre deux modelings ou pour la refiler à Frédéric, son stagiaire. Il se concentrera sur son travail au point d'en oublier ses vertiges. Et toutes ses clientes (Aimée Bégin-Béland comprise) seront satisfaites de la tête qu'il leur fera.

Emmanuel ferme les yeux et se représente une plage frangée de cocotiers. Il entend le bruit des vagues, déferlant par-dessus la voix de l'animateur de CKOI tout heureux d'annoncer qu'«il est six heures cinquante-deux, l'heure de passer à un appel d'un auditeur ou d'une...» Au moment où il s'apprête à piquer une tête, Emmanuel passe machinalement la main dans ses cheveux. Malgré le vent qui fait chavirer les planches à voile, sa couronne tient le coup. Et, à en juger par l'œillade que vient de lui décocher le plus séduisant des véliplanchistes, elle lui donne un irrésistible petit air de santé.

J'aurais dû boire moins d'eau-de-vie de framboise hier soir fumer moins de cigarettes ne pas revoir ce film de Hitchcock qui s'est terminé à trois heures du matin m'endormir devant la télé sur le sofa du salon ne pas m'étendre sur mon lit cela m'aurait épargné les hurlements de petit Lou le bébé d'en dessous qui s'est réveillé juste au moment où le sommeil allait m'emporter vers l'autre vie la vie rêvée la vie accomplie

ailes déployées tel un faucon pèlerin je tournoyais autour des maisons du voisinage planais au-dessus des rêves de leurs habitants endormis m'appropriais leurs désirs leurs espoirs leurs passions pillais leurs histoires réelles ou inventées les dépouillais de leurs atours de personnages dont je parais ma cervelle d'oiseau dressé au leurre

je «visualisais» sur écran géant comme Ariane Cousineau m'a appris à le faire jusqu'à ce que j'atterrisse sur le plancher des vaches résonnant des cris de son fiston

j'aurais dû prendre un somnifère en plus des deux cachets d'aspirine que j'ai avalés en même temps qu'une dernière rasade d'eau-de-vie mais le docteur Prével me les prescrit au compte-gouttes c'est chaque fois le même cirque avec lui il faut argumenter prétexter fabuler jusqu'à ce qu'il consente enfin à remplir chichement une ordonnance de quoi aurai-je l'air tout à l'heure à l'église au salon de coiffure à l'hôtel Plaza j'aurai l'air de rien comme d'habitude à moins que je ne me rendorme avant que le jour n'achève de se lever

car l'heure est déjà venue où les moineaux des rues s'assemblent en piaillant où les chimères de la nuit se volatilisent où la première cigarette râpe la gorge où le désir de faire comme si de donner le change d'aller de l'avant rivalise avec l'envie de ne plus jamais quitter son nid.

J'aurais pu incarner n'importe lequel de ces personnages aspirant à l'amour la gloire la fortune si j'avais eu l'outrecuidance d'une Aimée Bégin-Béland par exemple ou l'onctuosité d'un Philippe Ravary le béni-oui-oui de la dauphine susnommée qui n'a même pas attendu que son vieux dindon de père ait levé les pattes pour octroyer au plus obséquieux de ses courtisans le bureau où je perds mon âme depuis dix ans me reléguant du coup dans une encoignure de la salle commune où besognent les sous-fifres moi Dominique Légaré la doyenne des correctrices de la maison

j'aurais dû protester tempêter remettre ma démission avec fracas au lieu d'accuser le coup en silence mais j'ai vite compris qu'il n'y avait pas là de quoi faire une histoire de toute façon je n'en aurais pas eu l'énergie tant j'avais le moral à zéro au retour de ce mois de vacances gaspillé à essayer d'écrire une histoire oui une histoire pleine de rebondissements qui a eu vite fait de tourner court naturellement car où aurais-je bien pu en puiser la matière moi Dominique Légaré à qui rien n'arrive jamais aussi ai-je pris le parti de me satisfaire désormais de celles que je corrige et dont il m'arrive parfois de récrire des passages entiers tant j'excelle à faire ce travail que j'exècre quoi qu'en dise la mère Aimée qui me reproche ma minutie un travers que son vieux dindon de père appréciait au point de me proposer l'hiver dernier de diriger la collection littéraire de la maison encore eût-il fallu que j'en aie l'envie autant que Philippe Ravary ce lèche-cul de fifilles à papa que j'aurais dû refuser d'accompagner à la réception qui suivra l'assemblée annuelle des éditeurs où lui et moi « représenterons la maison Bégin en deuil » ainsi qu'il m'en a fait part avec componction hier après-midi en me transmettant l'invitation comme s'il m'accordait quelque faveur insigne alors qu'il ne m'a invitée que pour m'humilier davantage j'aurais dû lui dire que j'étais déjà prise ou plutôt lui expliquer que je n'en ai rien à foutre de ces cocktails merdiques où chacun se grise de ses projets de ses succès de ses échecs mais il n'aurait pas compris tant il déborde de confiance en son personnage et maîtrise l'art de maquiller les semi-vérités de métamorphoser les défaites en réussites et de se persuader que demain sera un autre jour.

J'aurais dû devancer mon rendez-vous au salon de coiffure où j'abandonnerai tout à l'heure ma tête de bois entre les mains brunes de Cecilia qui me massera les tempes sans me poser de questions gênantes car Cecilia ne se permet jamais la moindre indiscrétion elle-même est une énigme du moins est-ce le personnage qu'elle a choisi d'interpréter et elle l'interprète avec justesse contrairement à moi Dominique Légaré qui simule le mystère mais n'en recèle aucun faute d'avoir quelque chose dans le crâne le ventre ou le cœur si bien que je demeure telle que je suis recroquevillée sous mon nid de couvertures de peur de m'abîmer les ailes en les déployant de dégringoler jusqu'au trente-sixième dessous et d'éveiller le nourrisson qui attend sa becquée l'enfant Lou hurlant au travers du plancher la rage que je retiens entre mes dents serrées.

«Il n'aurait pas fait mieux lui-même!» se félicite Aimée Bégin-Béland, anticipant le déroulement de la cérémonie qu'elle a organisée sans tenir compte des protestations de ses sœurs cadettes. Aussi dépourvues de piété filiale l'une que l'autre, ces deux sans-cœur auraient préféré célébrer les funérailles de leur père dans l'intimité, ce qui révèle jusqu'à quel point elles sous-estiment la notoriété du fondateur de la maison Bégin. Mais elles seront bien forcées de la reconnaître, quand elles franchiront tout à l'heure le portail de l'église Saint-Viateur, où seront rassemblés non seulement les parents mais aussi les employés (et les auteurs) de la maison, les clients, les fournisseurs, les concurrents, les représentants des médias, les dignitaires et personnalités de toute sorte, et même les simples curieux que le prestige de l'événement aura attirés. C'est alors que ces deux innocentes prendront la véritable mesure de ce qu'elles ont perdu. Car, n'ayant jamais ni l'une ni l'autre manifesté le moindre intérêt pour les affaires de leur père, elles n'ont qu'une faible idée de la valeur financière de la maison. Pourtant, avant même d'avoir pris connaissance du testament, elles s'estiment déjà lésées et dissimulent mal l'envie qui les dévore, comme en témoignent certaines de

leurs remarques pleines de sous-entendus fielleux :
«Prends les arrangements funéraires que tu voudras,
Aimée, c'est toi qui régentes tout désormais, sauf
erreur...» Mais le testament paternel ne recelant aucune
ambiguïté, ces insinuations demeureront lettre morte. Et,
si jamais l'une ou l'autre de ces hypocrites avait l'audace
d'aborder la triviale question de l'héritage en présence
des parents invités à partager le repas de famille qui
suivra la cérémonie, Aimée fera taire l'impertinente avant
même qu'elle n'ait ouvert la bouche. Grâce à la vigilance
de son unique héritière, Honoré Bégin aura l'assurance
de recevoir l'hommage auquel est en droit de s'attendre
l'homme de bien(s) qu'il a été.

S'arrachant à sa méditation matinale, Aimée retire les
boules de cire qui obstruent ses oreilles. Il fait déjà grand
jour. Si Émile Béland – un commis-comptable sans
envergure qui a profité des largesses de son beau-père
pendant plus de vingt-cinq ans – peut se permettre de
continuer de ronfler comme un ingrat, sa femme, par
contre, n'a pas intérêt à traîner au lit plus longtemps,
sinon elle sera en retard à son rendez-vous chez le
coiffeur. Ce serait une première!, car de sa vie Aimée n'a
fait attendre personne, surtout pas Emmanuel, qui n'a
que trop tendance à prolonger indûment le temps de
séances au bout desquelles il n'obtient pourtant que
d'assez piètres résultats. Il faut dire que la fille d'Honoré
Bégin est allée à bonne école. «La ponctualité est la
politesse des présidents», avait coutume de plaisanter
son père. «Et de tous leurs sujets...» ajoutait-il à l'intention des employés retardataires, ce que ne manquait
jamais d'approuver la vice-présidente, malgré la gêne
qu'il lui arrivait de ressentir devant les sarcasmes ou les

sourires en coin des interpellés. Mais, s'il savait se faire craindre, Honoré Bégin n'en savait pas moins se faire aimer. Sous sa direction éclairée, les employés de la maison formaient une véritable famille, dont les fortes têtes étaient rapidement exclues. Dire qu'elle n'entendra plus jamais la voix du cher disparu gronder ni plaisanter! Oh! il n'était pas toujours d'humeur facile, il s'emportait souvent, même contre sa vice-présidente... Mais en quelque vingt années de collaboration quotidienne, il l'aura fait bien plus souvent rire que pleurer.

«L'heure n'est pas à la nostalgie», se morigène Aimée. Le réveil indique déjà six heures quarante-huit. La nouvelle présidente des éditions Bégin n'aura pas trop de cinquante-deux minutes pour se doucher, s'habiller, tirer les garçons du lit, avaler une bouchée et s'assurer que le traiteur et son équipe trouveront la cuisine en ordre quand ils arriveront à midi. À ce sujet, et compte tenu de l'absence d'esprit d'initiative qui caractérise les mâles Béland, il ne faudra pas qu'elle oublie de prévenir ses fils de mettre en marche le lave-vaisselle et de passer l'aspirateur dans toutes les pièces du rez-de-chaussée, sinon c'est elle qui devra s'en charger au retour. Ensuite, elle se rendra à pied à son traditionnel rendez-vous du samedi. Dans la circonstance, Emmanuel acceptera sûrement de faire diligence. Sinon, elle confiera sa tête à Frédéric, le jeune stagiaire, qui n'a pas encore appris de son maître l'art exaspérant de couper les cheveux en quatre. De retour à la maison, elle aura tout juste le temps d'enfiler son tailleur gris, de rectifier son maquillage, d'examiner la tenue d'Émile et des garçons et de téléphoner au traiteur pour s'assurer une dernière fois de l'heure et du menu convenus. Quelques minutes avant dix heures, elle prendra le chemin de l'église en compagnie de ses trois hommes. Pendant la messe, elle pourra enfin se permettre de souffler un peu, ce qui l'aidera à affronter par la suite l'épreuve du cimetière. À midi débutera le déjeuner familial qui devrait se terminer vers les trois heures de l'après-midi, à moins que l'une ou l'autre de ses sœurs ne juge opportun de l'interrompre par quelque commentaire indigeste. Mais, quelle que soit la manière dont il se terminera, la fille d'Honoré Bégin n'est pas prête d'oublier ce samedi qui vient à peine de commencer.

Aimée se rappelle tout à coup que c'est ce même 14 septembre qu'a lieu l'assemblée annuelle de l'Association des éditeurs. Les événements des derniers jours lui ont à ce point troublé l'esprit qu'elle en avait oublié la date. Mais Philippe Ravary ne refusera certainement pas de représenter la maison à la réception qui suivra. Peut-être même l'a-t-il décidé de son propre chef? Elle lui en glissera un mot à la sortie de l'église tout à l'heure. Le nouveau directeur de la collection littéraire n'est pas avare de son temps. Et il n'est pas dénué de charme non plus, ce qui ne gâte rien. Dommage qu'Honoré Bégin en ait fait le responsable du seul secteur déficitaire de la maison! Un homme de sa valeur aurait mérité mieux. Mais rien n'empêche la nouvelle présidente des éditions Bégin de remédier à cette injustice. De toute façon, l'organigramme de la compagnie est entièrement à repenser. Certains services comptent en effet beaucoup trop d'employés. Aimée devra sans doute procéder à divers réaménagements de personnel, voire à quelques congédiements : celui de Dominique Légaré par exemple, une petite intrigante, capable de réfléchir des heures durant sur la même virgule, et jouissant pour ce faire de l'un des bureaux les plus spacieux de la maison. Mais l'ère des privilèges est révolue. Depuis la rentrée, c'est Philippe Ravary qui dispose de cet espace qui lui revenait de droit. Toute sa vie, Honoré Bégin aura eu un faible pour les jolies femmes, même inefficaces... Déjà du vivant de son épouse, il n'hésitait pas à s'afficher en public en compagnie des secrétaires (et auteures !...) qui lui plaisaient. Est-il allé jusqu'à la tromper une ou plusieurs fois ? La question est de celles qu'une fille respectueuse de la mémoire de son père se doit d'écarter, surtout un jour comme aujourd'hui.

Aimée attribue à la température ambiante le malaise qui l'envahit soudain. Le dernier samedi de l'été s'annonce torride. À sept heures six, il fait déjà vingt-cinq degrés. Elle étouffe dans sa chemise de nuit. Qu'est-ce que ce sera quand elle endossera son tailleur de demi-saison ! En plus, elle a envie de pleurer. C'est la fatigue accumulée au cours de cet été si difficile qui se fait sentir. Les derniers jours ont été éprouvants. D'ailleurs, Philippe Ravary, le cher homme ! lui a conseillé de prendre quelques jours de repos. Lui au moins se soucie de sa santé, contrairement à Émile, le lunatique Émile ! qui semble n'avoir pas remarqué combien Aimée a maigri depuis l'hospitalisation de son père. De fait, la saison estivale s'achève sans qu'elle se soit accordé une journée de congé. C'est qu'elle seule était en mesure de venir en aide à son père, lequel tenait à mettre les affaires de la maison en ordre avant de mourir. Pendant qu'elle faisait la navette entre le bureau et l'hôpital, Émile et les garçons se payaient un petit séjour en mer. Pas étonnant que tous trois aient si bonne mine! Dans les circonstances, cela paraît presque indécent. L'air du large ne lui ferait pas de mal, à elle non plus, mais Aimée n'aura pas le loisir d'en profiter avant plusieurs mois. La saison commence à peine. Et, si elle ne rattrape pas le temps perdu cette semaine, la maison s'en ressentira certainement.

Incommodée par la chaleur, Aimée retire sa chemise de nuit. Machinalement, elle en fait une boule qu'elle presse entre ses cuisses. Avant de se lever, elle s'octroie un dernier instant de répit. S'abandonnant à l'un de ses fantasmes familiers depuis le début de l'été, elle s'imagine à bord de *La Victorine*, le voilier que son père lui a offert il y a quelques années, et auquel elle a donné le prénom de son arrière-grand-mère. Son coéquipier, qui ressemble à Philippe Ravary avec quelques années en moins, a jeté l'ancre. Mais, au moment où la vedette masculine du film s'apprête à rejoindre sa partenaire dans le hamac où elle s'est allongée, le bruit de voix excitées s'élevant de la maison voisine interrompt la séance, qui hélas! se termine avant le baiser final.

Tendant le bras vers la fenêtre qui jouxte le lit, Aimée soulève un coin du rideau et aperçoit Antoine Prével qui dépose une valise dans le coffre de sa voiture. Sa nouvelle épouse fait démarrer le moteur. De toute évidence, les voisins n'ont pas l'intention d'assister aux funérailles d'Honoré Bégin. Mais peut-être l'une ou l'autre des précédentes épouses du docteur aura-t-elle reçu pour mission de représenter son ex-mari ? Ce dernier a sans doute été invité à présenter une communication à quelque congrès médical se déroulant à Hawaii, à Tahiti, ou à n'importe quel autre endroit du monde propice au farniente...

Contrariée, Aimée jette à la tête de son mari sa chemise de nuit roulée en boule. Émile renifle l'odeur du vêtement, puis se remet à ronfler comme un porc. Il y a des lustres qu'il n'a pas approché son épouse, et il faudrait bien davantage que la moiteur d'une chemise de nuit pour éveiller ses sens. Mais, de toute façon, Aimée n'a jamais eu beaucoup de temps à consacrer à ces galipettes !

Cher docteur Prével quand cesserez-vous donc de prétendre vouloir mon bien alors que vous faites si souvent mon malheur ne savez-vous pas qu'il n'est pas donné à chacun de dormir sur ses deux oreilles chaque nuit que le bon Dieu amène êtes-vous sourd cher docteur à la rumeur de ce monde grouillant de personnages bavards qui ne se taisent ni de jour ni de nuit vous n'avez pas idée de ce qu'il en coûte d'être le témoin journalier d'événements bouleversants

car je suis bouleversée par ce qui ne m'arrive pas docteur Prével c'est cette difficulté de n'être pas qui m'enlève le sommeil cette incapacité où je suis de passer au travers de l'écran diaphane derrière lequel se meuvent d'insaisissables ombres que j'imagine à tort ou à raison appartenir à cette espèce vivante dont je ne suis pas

je n'ai pas d'histoire mon cher docteur je n'en ai jamais eu et je désespère d'en avoir une avant de mourir aussi inutile de m'enjoindre de revenir en arrière car quel motif aurais-je de m'évertuer à remonter le cours de ma non-existence puisque d'aussi loin que je me souvienne docteur j'ai toujours parcouru le monde telle une lectrice naïve un livre de contes dont je tournais les pages une à une en quête d'un personnage auquel m'identifier

31

or il semble que ce personnage n'existe pas docteur Prével et pourtant je lis lentement minutieusement passionnément n'en déplaise à la mère Aimée ma patronne qui calcule le coût de chaque virgule déplacée adjectif supprimé participe accordé j'épluche les phrases les unes après les autres m'arrache les yeux à lire entre les lignes m'ingénie à remanier des épisodes entiers piétine sur tel ou tel chapitre le lisant le récrivant le relisant le récrivant de nouveau m'impatientant devant ses longueurs ses redites ses maladresses mais n'en faisant pas moins durer le plaisir malgré ma hâte d'en finir car j'aime les histoires docteur Prével surtout quand elles arrivent à des antihéros de mon espèce quoiqu'il y ait toujours un petit détail qui accroche de sorte que l'identification n'est jamais totale le personnage est trop vivant il a trop de corps d'âme ou d'esprit alors que moi je suis dépourvue de profondeur docteur vous le savez je ne fais pas le poids à côté de ces figures hautes en couleur je flotte comme un ectoplasme au-dessus de leurs désirs de leurs espoirs de leurs désillusions et pourtant je dévore leurs histoires le cœur battant comme si c'était à moi qu'elles arrivaient jusqu'à ce que je bute sur ce petit détail superflu ou malvenu et que je retombe dans le néant d'où ma lecture m'avait tirée provisoirement.

Cher docteur Prével quand cesserez-vous donc de vous en faire accroire se peut-il que vous soyez réellement convaincu qu'il suffit de vouloir pour pouvoir car au fond n'est-ce pas à ce truisme que se ramènent toutes ces théories savantes dont vous vous enflez la cervelle même si votre formation de psychologue psychiatre psychanalyste qu'est-ce que j'en sais vous interdit de le dire dans cette langue vulgaire mais moi Dominique Légaré qui m'exprime simplement je n'ignore pas que le soleil de cette journée qui commence ne brillera pas pour tout le monde et si vous ne l'ignorez pas non plus docteur vous répugnez à l'admettre n'osant énoncer pareille évidence sacrilège devant votre clientèle que rassurent vos paroles de boy-scout si vaines pourtant

oui docteur Prével vous avez bien entendu j'ai dit « pourtant » je n'ai que cet adverbe à la bouche c'est vrai j'affectionne les « pourtant » et les « car » et les « or » et les « mais » de même que les « j'aurais dû il aurait fallu si j'avais su » et autres automatismes que vous relevez minutieusement comme je le fais moi-même de vos « Vous dormirez dès que vous en aurez réellement envie » et autres lapalissades que vous proférez doctement quand par exception vous osez enfreindre la loi du silence

cette fameuse loi du silence que vos professeurs vous ont enseignée à l'université et que vous observez scrupuleusement car c'est elle qui vous autorise à vendre votre salade plus cher que celles de vos concurrents les colporteurs de bonheur bon marché qui polluent les ondes s'emparent des tribunes et sèment à tous vents leurs propos lénifiants je sais de quoi il retourne docteur depuis qu'Ariane Cousineau mon aimable voisine de l'étage au-dessous m'a prescrit son remède de bonne femme

voilà que je « visualise » à mon tour si vous voyez ce que je veux dire cher docteur et c'est à force de « visualiser » une Dominique Légaré évoluant dans le monde réel avec la tranquille assurance d'un personnage appartenant à l'espèce vivante que j'en suis venue à perdre non seulement le sommeil mais jusqu'à l'envie même de dormir docteur Prével

33

ne voyez-vous pas qu'il n'y a plus rien à attendre de moi alors quand cesserez-vous donc d'espérer en mon éventuelle métamorphose cher docteur vous m'enjoignez de mourir à moi-même pour mieux renaître ou pour parler plus crûment vous souhaitez que je refasse ma vie ainsi que l'ont fait certains de vos patients parmi les plus obéissants et ainsi que vous-même l'avez fait certainement mon cher docteur d'où cette mine resplendissante que vous arborez beau temps mauvais temps dodelinant de la tête dans votre fauteuil de psy ou susurrant l'un de vos ineffables « Transparent... ? Un écran trans-parent... ? Et si vous me parliez un peu de vos parents ?... » vous délectant de ces lapsus contrepèteries jeux de mots indigestes « Vous avez dit digéré ou rédigé ? »

sans doute ai-je en effet mal digéré la dizaine de pages que j'ai si péniblement rédigées pendant ces quelques semaines de vacances où j'ai suivi votre conseil docteur « Et si vous me mettiez par écrit quelques-unes de ces historiettes dont vous prétendez qu'elles n'arrivent qu'aux autres ? Cela vous distrairait peut-être... » mais comme je ne suis guère plus douée pour créer que pour exister j'ai séché mon bon docteur j'ai séché car Dominique Légaré ne sera jamais qu'une éponge docteur Prével une éponge terriblement poreuse et tout entière imbibée d'humeurs mauvaises qu'elle exprime goutte à goutte.

Cher docteur pourquoi vous conformer ainsi que vous le faites aux prescriptions des manuels de savoir-vivre rédigés par vos maîtres ces apologistes de la souffrance dont vous vous faites l'écho servile ignorez-vous que je souffre quand je ne dors pas docteur souhaitez-vous que je

34

me procure en fraude ces comprimés que vous me comptez chichement ou préférez-vous que j'opte pour quelque poudre de rêve qui brouillera définitivement la transparence de l'écran mes comprimés m'ont toujours suffi docteur et ils me suffiraient encore si seulement vous acceptiez de vous montrer raisonnable comme je le suis moi-même car rassurez-vous je n'ai pas l'intention de les avaler tous en même temps ce sont là manières d'héroïne qui me sont étrangères mais en me retirant ma «béquille» pour employer un cliché qui vous est familier vous me condamnez à m'effondrer sans espoir de me relever voilà qui ne devrait pas être tellement malaisé à comprendre mon cher docteur Prével à moins que vous n'ayez la tête aussi dure que le bois dont est faite la langue que vos pères vous ont apprise et que je me permets de vous emprunter à mon tour pour clore cet entretien imaginaire qui n'a déjà que trop duré.

La parfaite harmonie qui règne entre sa nouvelle épouse et son fils est un sujet de contentement quotidien pour l'homme comblé qu'est devenu le docteur Antoine Prével depuis son récent mariage avec Isabelle. Aussi est-ce d'un cœur quasi léger qu'il s'apprête aujourd'hui à quitter Outremont pour San Diego, où il a été invité à prononcer une conférence (un *paper* sur le traitement des phobies névrotiques) devant les membres de l'A.P.A. (American Psychiatric Association) réunis en congrès. Isabelle l'accompagnera jusqu'à l'aéroport, d'où elle se rendra ensuite visiter sa sœur qui habite Ottawa. En son absence, Jérôme aura la maison à lui tout seul. Comme tous les garçons de son âge, il profitera sans doute de l'aubaine pour faire la fête avec ses copains, mais il ne devrait pas pour autant bouder le retour d'Isabelle, prévu pour lundi. Tous deux passeront les quelques jours qui suivront en tête-à-tête – une occasion d'améliorer les excellentes relations qu'ils entretiennent déjà.

N'étaient ses inquiétudes de médecin traitant qui le taraudent chaque fois qu'il s'absente de son cabinet, le docteur Prével n'aurait donc d'autres sujets de préoccupation que l'excellence de son *paper* sur les phobies. Bien qu'il se soit donné la peine de prévenir chacun de ses patients du report de son rendez-vous, il ne peut se retenir de se faire du souci pour les plus vulnérables d'entre eux. Pas pour les quelques beaux parleurs qui composent sa clientèle de luxe, l'insomniaque Dominique Légaré par exemple! qui préfère quémander des somnifères que de résoudre les vagues et redondantes questions existentielles qu'elle ne cesse de ressasser, mais pour certains des «vrais» malades qu'il voit à l'hôpital ou qu'il reçoit à son cabinet après qu'ils ont obtenu leur congé.

Parmi ces derniers, c'est Manon qui inquiète surtout le docteur Prével, Manon qui émerge à peine de ce lac d'épouvante où l'avait précipitée le monstre fraternel qui la poursuit encore. Au moins Antoine a-t-il obtenu de la jeune fille l'assurance qu'elle laissera un message sur le répondeur téléphonique de son cabinet dès qu'elle ressentira le besoin de communiquer avec son psychiatre. Car, malgré les énormes progrès qu'elle a faits ces derniers temps, Manon est encore sujette à de rares mais violents accès de paranoïa. Mais le docteur Prével n'est pas entièrement rassuré. Il craint que Manon ne se mette à bredouiller, ou pis encore! qu'elle ne reste bouche bée devant un appareil qu'elle n'a pas l'habitude d'utiliser. Par mesure de précaution supplémentaire, il a chargé son fils Jérôme d'écouter la bande plusieurs fois par jour en surveillant les espaces vierges entre les messages, surtout s'ils se répètent à intervalles rapprochés, et, si tel est le cas, de le prévenir aussitôt de toute anomalie. Si jamais l'un de ses appels au secours demeurait sans réponse, Manon éprouverait un sentiment de rejet qui risquerait de compromettre les bénéfices actuels de la cure.

Depuis quelques semaines en effet, la jeune fille est en voie de dépasser le stade du transfert négatif, où elle a régressé à la suite du choc qu'elle a subi en quittant ce lieu protégé qu'est l'hôpital. Elle n'éprouve plus d'hostilité à l'égard de son thérapeute. Au contraire, elle recherche son approbation en faisant preuve d'une docilité excessive mais salutaire, qui l'a amenée à modifier quelques-unes de ses habitudes de vie les plus malsaines. Manon combat avec succès une pharmacodépendance entretenue depuis l'adolescence et que son séjour prolongé à l'hôpital avait aggravée, elle s'alimente mieux qu'avant et, si elle s'affuble toujours de vêtements informes destinés à l'enlaidir et ne sort pas sans ses gants par gêne d'exhiber ses poignets mutilés, elle ne se montre pas réfractaire à l'idée de s'habiller autrement. Mieux encore, elle est presque parvenue à triompher de sa peur de l'eau – une hydrophobie persistante qui lui interdisait jusqu'à l'usage de la baignoire. Au train où vont les choses, elle sera bientôt prête à intégrer le marché du travail. Lors de sa dernière séance, c'est elle-même qui a abordé la question, ce qui est de bon augure. Qui sait si, après avoir repris confiance en ses capacités en lavant la vaisselle dans un restaurant ou en s'occupant d'enfants en bas âge, elle ne pourrait pas envisager de reprendre un jour des études prématurément abandonnées?

C'est ce que la petite Cecilia – l'un des cas de névrose enfantine les mieux résolus du docteur Prével – est parvenue à faire au terme d'une thérapie qui n'a duré que quelques mois. Pourtant, la jeune Dominicaine avait derrière elle une histoire tout aussi désastreuse que celle de Manon. Depuis qu'elle a terminé sa cure, Cecilia téléphone régulièrement à son ex-médecin. En quelques années, elle a presque entièrement rattrapé son retard scolaire et elle n'a pas l'intention de s'arrêter là. Elle dit vouloir devenir infirmière, voire psychologue. Aux dernières nouvelles, elle s'entendait de mieux en mieux avec sa mère adoptive et avait trouvé un emploi d'été chez un coiffeur de la rue Laurier. Pourquoi Manon, qui est à peine plus âgée que Cecilia, ne s'en tirerait-elle pas aussi bien?

Antoine Prével sent une bouffée d'air frais s'engouffrer dans la voiture. Isabelle a fermé la climatisation et abaissé la capote. Sa femme adore conduire le cabriolet qu'il lui a offert comme cadeau de mariage. Tous deux échangent un sourire de connivence. Le vent emporte les inquiétudes matinales du docteur Prével qui s'abandonne au plaisir de la balade. Depuis leur départ de la maison, il n'a pas desserré les dents. Mais Isabelle a compris qu'il avait besoin de silence, Isabelle comprend toujours tout sans qu'il soit nécessaire de rien lui expliquer. Dommage que ses cours à l'université la retiennent à Montréal. Elle aurait pu profiter des plages de San Diego. Mais, à supposer que cette température inhabituellement clémente persiste encore quelques jours, elle devra se contenter de la piscine familiale. Dès son arrivée à l'hôtel, Antoine lui laissera un mot d'amour sur le répondeur de son cabinet. Peut-être lui enverra-t-il aussi un billet doux par télécopieur? À son retour à la maison, la belle Isabelle ira de surprise en surprise. Grâce à la magie de la télécommunication, Antoine Prével possédera en quelque sorte le don d'ubiquité. Rien de plus rassurant, tant pour le médecin tourmenté qu'il a toujours été que pour l'amoureux fou qu'il est devenu...

Ça ira oui ça ira aujourd'hui encore malgré la fatigue le manque de sommeil l'envie de dormir ou plutôt d'avoir dormi ça ne pourra pas faire autrement que de continuer d'aller je finirai bien par tirer ma carcasse du lit au risque de réveiller le petit Lou qui dort à l'étage au-dessous mais rassurez-vous papa et maman Lou je marcherai pieds nus sur le plancher de bois verni en évitant les lattes qui craquent je ne ferai ni claquer les portes ni grincer les tiroirs je mettrai la radio en sourdine je ne crierai pas à tue-tête même si j'éprouve le besoin pressant d'ameuter tout le voisinage sans raison simplement pour que nul n'ignore que Dominique Légaré s'est levée du mauvais pied ce matin encore mais qu'elle passera au travers de ce beau samedi malgré la fatigue le manque de sommeil l'envie d'avoir dormi

ça ira oui ça ira en dépit de l'apparente indifférence à mon égard de ces personnages familiers que je côtoie chaque jour Ariane et Alain Cousineau Mireille Racine et la petite Sara et ce jeune homme basané qui tout à l'heure fera son jogging côté rue et ces gamins qui pousseront la rondelle côté ruelle et cette vieille dame en noir qui s'installera comme à l'accoutumée sur le balcon surplombant le restaurant Xanthos telle une sentinelle reprenant son poste et qui se signera quand elle entendra sonner le glas.

Ça ira oui ça ira aujourd'hui encore je ne haranguerai pas les passants de ma fenêtre du troisième étage je ne menacerai pas de me jeter en bas ou de m'immoler par le feu ou de tirer dans le tas pour que vous accouriez tous Alain Ariane Mireille Sara parce que je ne supporterais pas de vous voir accourir pas plus que de faire la une de la feuille de chou du quartier que ce brave docteur Prével met à la disposition de sa clientèle mais n'ayez crainte vous ferez bon voyage docteur Dominique Légaré vous épargnera la démonstration par l'absurde de sa non-existence puisque ça ira oui ça ira envers et contre vous docteur je vaquerai à mes occupations de la journée comme si j'étais l'héroïne de mon non-feuilleton quotidien si bien que ça ira oui ça ira

ça ira aujourd'hui encore et demain et la semaine qui vient et le mois prochain ainsi que je vous le réitère à chacune de ces séances qui me coûtent les yeux de la tête et me confortent dans mon refus d'accomplir cette action d'éclat prouesse meurtrière ou attentat spectaculaire qui mettrait abruptement terme à ma quête désespérée d'un personnage me ressemblant mais n'allez pas vous imaginer pour autant que ma patience soit sans limites docteur Prével il ne sera pas dit que je persisterai des années durant à aller voir ailleurs si Dominique Légaré y est quand j'ai la certitude de ne pas l'y trouver davantage qu'ici en dépit de ces paroles d'encouragement que vous me prodiguez si libéralement mon bon docteur alors que vous savez aussi bien que moi qu'elles ne me sont d'aucun secours puisque c'est de comprimés que j'ai besoin docteur pour que ça aille que ça aille encore que ça continue d'aller vaille que vaille malgré la fatigue le manque de sommeil l'envie d'avoir dormi.

Mais ça ira oui ça ira ça aura l'air d'aller aujourd'hui encore je dirai partout les mots je ferai toute la journée les gestes qu'il faut je n'aurai pas cet air égaré ce regard tourné par en dedans ces yeux virés vers l'intérieur que j'ai aperçus l'autre jour en sortant du cabinet du docteur Prével une grosse fille à la face de lune et couverte de boutons d'acné qui attendait sur une marche de l'escalier elle n'a paru ni choquée ni embarrassée que je plonge mon regard dans son regard de noyée je l'ai dévisagée longuement mais elle n'a pas cillé pas un seul muscle de sa face de lune n'a bronché comme si l'épouvante ou la chaleur ou les deux combinées l'avaient pétrifiée là sur cette marche d'escalier où elle restait immobile à transpirer dans ses vêtements hors saison un pantalon tire-bouchonné un col roulé à manches longues des bottines d'homme et des gants d'incroyables gants de toile comme on en voit aux mains des jardiniers ou des assassins elle avait l'air d'une folle avec son col roulé ses bottines d'homme et ses gants une vraie folle semblable à ces créatures errantes qui hantent les couloirs du métro ou les corridors des hôpitaux

une folle statufiée qui ne s'est même pas retournée quand je l'ai bousculée au passage j'ai dit « pardon » et elle a répondu « han ? » avec l'accent nasillard d'une fille qui s'appellerait Nancy Linda ou Manon puis elle s'est essuyé le front avec son gant de jardinier-assassin et elle a attendu que j'aie longé la façade de la somptueuse demeure d'Aimée Bégin-Béland qui jouxte la résidence du docteur Prével jardin piscine et tout le tralala pour pousser la porte du cabinet où ce cher docteur si friand d'histoires d'horreur devait l'attendre en salivant d'impatience au point d'envisager de prolonger la séance de sorte que la grosse fille rattrape le temps perdu avant de repartir les poches bourrées de comprimés car vous la bourrez docteur Prével j'en suis sûre vous les bourrez toutes vos Nancy Linda ou Manon tandis que vous privez du nécessaire les imposteurs de mon espèce vous êtes un pro docteur Prével on ne vous la fait pas je sais Dominique Légaré n'est pas du genre à vous intéresser elle n'a pas l'étoffe d'une vraie folle faute d'avoir quelque histoire d'horreur à raconter elle ne tournera jamais son regard au-dedans d'elle-même faute d'avoir quelque chose à contempler elle surnagera toujours faute d'avoir le courage de se noyer si bien que ça ira oui ça ira ça ne pourra pas faire autrement que de continuer d'aller aujourd'hui encore.

Manon observe avec dégoût son corps qui flotte comme une grosse méduse dans l'eau parfumée de la baignoire. Elle déteste prendre son bain, mais le docteur Prével dit que c'est important pour elle d'apprendre à barboter comme font les bébés. Mais si Mman voyait cette masse de chairs gélatineuses qui tremblotent, elle aurait honte d'avoir engendré cette grosse fille boutonneuse qui ne lui ressemble pas du tout. En plus d'être mince comme une araignée, Mman, elle, a une peau parfaite – un «teint de rose», comme disait Ppa à la maison.

Mman ne fait pas son âge. D'ailleurs, la fois où elle est venue voir Manon à l'hôpital, les infirmières ont cru qu'elle était sa sœur aînée. Il faisait chaud ce jour-là – encore plus chaud qu'aujourd'hui, mais c'était normal parce qu'on était en juillet –, et tout le monde transpirait : les malades, les infirmières, et même le docteur Prével qui n'arrêtait pas de pester contre le système de climatisation qui fonctionnait mal, au point où il a fini par quitter l'hôpital un peu avant l'arrivée-surprise de Mman. Seule Mman ne transpirait pas parce que Mman ne transpire jamais. Elle était seule, Ppa ne l'accompagnait pas. Il était resté au Lac-Noir parce que la scierie où il travaille avait rouvert ses portes. Mman avait conduit elle-même la

44

voiture de Ppa. Elle n'avait mis que quatre heures pour faire le trajet et elle était très fière de sa performance. Elle portait une robe à fleurs qui découvrait ses épaules et son dos. Avec ses cheveux longs qui pendent presque jusqu'aux fesses, elle avait l'air d'une fée. Après son départ, la chambre embaumait la rose.

Pendant toute la durée de la visite, Manon s'est efforcée de garder ses mains cachées sous le drap. Il valait mieux que Mman ne voie pas les bandages autour de ses poignets. Cela aurait risqué de lui rappeler des souvenirs qu'elle n'aurait pas pu supporter. Mman déteste les malades, surtout quand ils font exprès de le devenir. Quand Manon était petite et qu'elle avait des crampes ou le nez qui coulait, Mman disait qu'elle ne méritait pas d'avoir une petite fille qui ne cherche qu'à faire de la peine à sa maman en attrapant tout ce qui passe. Manon devait toujours faire très attention à ne pas s'égratigner les coudes ou les genoux en jouant à la corde à danser parce que Mman ne tolérait pas la vue du sang.

Le jour de sa visite à l'hôpital, Mman a félicité sa fille pour sa bonne mine. Et Manon s'est empressée de lui communiquer la nouvelle que le docteur Prével lui avait annoncée la veille. D'après le docteur, elle n'était pas encore tout à fait guérie, mais elle l'était assez pour envisager de sortir bientôt de l'hôpital, à condition de poursuivre sa thérapie en fréquentant trois fois par semaine son cabinet privé. Une bonne nouvelle apparemment, même si Manon n'était pas du tout certaine d'avoir envie de quitter l'hôpital où elle ne s'ennuyait jamais parce qu'elle avait toujours un dessin à faire ou une histoire à raconter à quelqu'un. Les docteurs et les infirmières la traitaient comme quelqu'un d'important. Et personne ne l'accusait de s'être rendue malade exprès. Pourtant, c'était nulle autre qu'elle, Manon, qui avait fait jaillir de ses poignets le sang qui avait taché la baignoire de Mman.

Manon a raconté à plusieurs reprises son histoire de baignoire au docteur Prével. La première fois, le docteur lui a demandé de faire un dessin. Avec un crayon de cire rouge, Manon a dessiné une baignoire en forme de S, grande comme le lac Noir, d'où surgissait un monstre gélatineux qui s'agrippait à ses poignets. Même s'il avait des seins – de gros seins qui flottaient sur l'eau comme des méduses –, le monstre avait une tête de garçon et des yeux exorbités. Manon a expliqué au docteur qu'elle avait eu autrefois un grand frère qui adorait terroriser sa petite sœur en lui racontant des histoires d'épouvante. C'était comme ça qu'il lui avait fait croire qu'au fond du lac Noir était tapi un monstre qui s'agrippait aux poignets des enfants, surtout à ceux des petites filles qui n'avaient pas encore appris à nager. Elle l'avait cru parce qu'elle était une petite fille justement. Des années plus tard, elle le croyait encore. Mais, aujourd'hui, Manon sait que ça n'était qu'une histoire inventée pour lui faire peur.

Manon n'est plus la même depuis l'histoire de la baignoire – une histoire vraie, celle-là. Avant, elle n'avait pas peur de la mort, pas du tout, et elle ne comprenait pas pourquoi tout le monde était si effrayé à l'idée de mourir un jour. C'était la vie qui la faisait mourir de peur, elle, Manon, parce que la vie lui paraissait bien plus effrayante que la mort. Mais, au cours de son séjour à l'hôpital, elle s'est mise à croire le contraire, enfin presque... Avant de connaître le docteur Prével, Manon n'avait jamais réfléchi à ce genre de choses. Le jour où elle lui a fait part de ses réflexions sur la vie, la mort et tout ça, il a paru si fier d'elle (et de lui aussi) qu'elle n'a pas osé le décevoir en ajoutant le « presque », ni lui avouer qu'il lui arrive encore de redouter l'apparition du monstre du lac Noir, même si elle a cessé de croire à son existence.

Quand elle est venue à l'hôpital, Mman n'a pas fait une seule allusion à la baignoire tachée de sang. Manon a tout de même promis qu'elle ne recommencerait pas, mais Mman a fait semblant de ne pas entendre. Elle a adressé un petit sourire gêné à l'infirmière qui venait d'entrer dans la chambre, puis elle a détourné la tête pour ne pas voir les cicatrices aux poignets de sa fille. Car il a bien fallu que Manon se résigne à sortir ses mains de sous le drap où elle les avait tenues cachées jusque-là. Quand l'infirmière a eu fini de changer ses bandages, Manon a annoncé à Mman qu'elle ne retournerait pas à la maison en sortant de l'hôpital, qu'elle prendrait un appartement à Montréal, comme l'avait suggéré le docteur Prével. Elle se débrouillerait toute seule, même si ça n'allait pas être facile de se laver, de s'habiller, de manger et de faire le ménage, sans que Mman soit là pour voir à ce que tout soit fait comme il faut. En tout cas, elle essaierait. Le docteur Prével avait promis de l'aider. Mman n'a rien dit, mais elle a encore une fois détourné la tête, de sorte que Manon n'a pu lire dans ses yeux ce qu'elle pensait de la suggestion du docteur Prével. Un peu après, elle a déclaré qu'elle devait s'en aller. À ce moment-là, une autre infirmière est entrée dans la chambre avec un plateau. Il était cinq heures et demie. Mman a dit à l'infirmière qu'elle reviendrait bientôt. Mais elle n'a dit ça que pour paraître à son avantage puisqu'elle n'est jamais revenue.

Ppa, lui, a fait plusieurs fois le voyage du Lac-Noir à l'hôpital. Il venait le dimanche, quand le docteur Prével n'était pas là. Un dimanche, le docteur s'est déplacé exprès pour le rencontrer. Ppa l'a suivi dans son bureau. Il était très intimidé parce qu'il n'a pas l'habitude de parler avec les docteurs. À la maison, Mman n'écoutait jamais quand Ppa parlait. De toute façon, Ppa n'a jamais parlé beaucoup. Il a toujours préféré s'enfermer dans son atelier et fabriquer des bateaux miniature avec le bois récupéré à la scierie. Chaque fois que Ppa rendait visite à Manon, il disait que Mman était très occupée par le ménage de la maison, qu'elle n'en finissait pas de frotter la baignoire pour faire disparaître les taches de sang et qu'elle était bien trop fatiguée pour entreprendre un aussi long voyage.

C'est lui, Ppa, qui envoie l'argent pour payer l'appartement. Maintenant que la scierie est rouverte, il travaille presque tous les jours. Il est content que Manon soit guérie. Mman, elle, ne fait pas confiance au docteur Prével. C'est ce qu'elle a dit à Ppa, et Ppa l'a répété à Manon. Mman a dit aussi qu'elle ne comprenait pas comment sa fille faisait pour vivre dans un taudis pareil. Mais elle n'est jamais venue visiter l'appartement de la rue Villeneuve, qui n'est pas un vrai taudis, même si l'émail de la baignoire est tout écaillé. Jamais Mman ne prendrait son bain dans une baignoire comme celle-là. Mman ne supporte pas la négligence. À la maison, elle reprochait souvent à Manon son laisser-aller. D'un coup d'œil, elle détectait les imperfections – l'ongle rongé, le bouton sur le nez, le bas qui a filé – et elle se mettait en colère.

Mais ce qui l'exaspérait le plus, c'était la lenteur de Manon.

Matin et soir, Mman calculait le temps que Manon consacrait à sa toilette. Si Manon s'attardait trop longtemps dans la salle de bains, Mman piquait une crise. Elle disait qu'elle n'avait pas mérité d'avoir une fille aussi empotée. Elle avait raison d'ailleurs. À force de traîner dans la baignoire, Manon a fini par ne plus vouloir en sortir, et c'est comme ça qu'elle a failli se laisser emporter par le monstre qui s'est agrippé à ses poignets. Mman calculait aussi le temps que Manon mettait à s'habiller, à changer les draps de son lit, à laver la vaisselle, à passer l'aspirateur. Elle minutait presque tout ce que Manon avait à faire, c'est-à-dire pas mal de choses.

Manon n'aime pas parler de Mman et de ses petites manies aux étrangers, pas même au docteur Prével. Le docteur pourrait s'imaginer qu'elle est devenue folle parce qu'elle voulait ressembler à Mman. Mais Mman n'est pas folle, elle est juste un peu nerveuse, comme dit Ppa.

Le docteur Prével interroge souvent Manon sur son enfance. Hier encore, il a tellement insisté avec ses questions qu'elle a été forcée de lui avouer que Mman lui interdisait de s'approcher du lac. Mman a toujours eu peur de l'eau, même avant l'accident. Après, sa peur a empiré.

Le grand frère de Manon avait huit ans et demi le jour où il s'est noyé. C'était un garçon pourtant, et il savait nager en plus, mais le monstre du lac Noir l'a happé et entraîné dans son repaire. L'accident s'est produit un 14 septembre. Il devait faire aussi chaud qu'aujourd'hui, sinon le grand frère n'aurait pas décidé d'aller se baigner. Mais Manon ne s'en souvient pas vraiment. Elle n'avait même pas quatre ans. Normalement, elle les aurait eus le lendemain, puisque son anniversaire tombe le 15 septembre, mais Ppa et Mman avaient tellement de chagrin qu'ils ne l'ont pas fêté, cette année-là. Ils ne l'ont pas fêté non plus les années qui ont suivi parce que chaque mois de septembre ramenait le souvenir de l'accident. Manon n'est pas venue au monde la bonne journée. D'ailleurs, elle est née avec douze jours de retard. Et Mman a été toute déchirée parce que Manon était déjà beaucoup trop grosse. Chaque fois que Manon l'entendait raconter son accouchement, elle se disait que c'était sa faute si Mman avait souffert autant.

« Un gros bébé qui n'a jamais grandi parce qu'il a toujours eu trois ans... » : c'est ainsi que Manon a conclu son histoire de monstre. Le docteur Prével a paru content qu'elle fasse une remarque comme celle-là, mais ça ne l'a pas empêché de lui annoncer qu'il partait en voyage pour plusieurs jours. À l'heure qu'il est maintenant, il doit être dans l'avion. C'est la première fois que le docteur Prével s'absente depuis qu'il soigne Manon. Et il a annulé tous ses rendez-vous de la semaine. Manon a tout fait pour le retenir, pourtant. Quand elle a appris qu'il allait l'abandonner aussi longtemps, elle a dit qu'elle n'en avait pas tout à fait terminé avec son histoire de monstre. Il l'a pressée de le faire tout de suite, quitte à prolonger exceptionnellement la séance. Alors, elle a raconté qu'elle, Manon, avait été la seule personne à voir le monstre du lac Noir engloutir le corps de son grand frère et qu'elle avait couru prévenir Mman à la maison, mais elle était tombée en remontant la côte qui descend au lac. C'est Ppa qui l'a entendue pleurer. Il est venu à sa rencontre, puis il s'est précipité vers le lac. Mais il était trop tard.

Pendant qu'elle trébuchait sur ses jambes de gros bébé de trois ans, le monstre avait eu le temps d'emporter le grand frère dans son repaire du fond du lac. Manon a précisé qu'il y avait certains détails dont elle se souvenait mal. En réalité, elle ne se souvient d'à peu près rien, alors elle se fie à la mémoire de Mman qui, elle, n'a rien oublié de cette journée de malheur qu'elle évoque souvent.

Le docteur Prével a écouté avec attention la suite de l'histoire. Mais après, au lieu de lui annoncer qu'il renonçait à son voyage, il a expliqué à Manon le fonctionnement de son répondeur téléphonique. Si jamais elle avait quelque chose de très important à lui dire pendant son absence, elle n'aurait qu'à laisser un message après le bip, et le docteur la rappellerait le plus vite possible. Manon a promis qu'elle ferait comme il avait dit. Puis, comme elle s'apprêtait à s'en aller, le docteur a ouvert un tiroir de son bureau et il en a sorti un jouet de plastique – un petit bateau jaune avec une voile blanche. Manon a accepté ce drôle de cadeau d'anniversaire. Le docteur Prével est un peu sorcier. Quand il lui a expliqué ensuite qu'elle devait apprendre à barboter dans l'eau comme font les bébés, Manon s'est souvenue que Mman lui avait toujours défendu de jouer avec les bateaux miniature de Ppa.

Depuis, Manon prend son bain en jouant comme un bébé avec son petit bateau jaune. Comme elle a presque autant d'imagination que son grand frère, elle s'invente des histoires. Quand le monstre du lac Noir émerge du fond de la baignoire par exemple, elle envoie un message de détresse au capitaine. Et, au moment où le monstre s'apprête à s'agripper à ses poignets, le docteur Prével la hisse à bord de son bateau. Ensuite, la baignoire se vide comme par enchantement. Et le monstre s'en retourne avec l'eau du bain jusqu'au fond du lac Noir, où le grand frère barbote pour l'éternité.

Mais Manon doit s'efforcer de revenir à la réalité parce qu'elle sait que ça n'est pas encore le moment de vider l'eau de la baignoire. Le docteur Prével a insisté pour qu'elle prenne de très longs bains. Et c'est ce qu'elle fait. Tout à l'heure, elle a versé quelques gouttes d'huile parfumée dans l'eau et, maintenant, la salle de bains embaume la rose. En revenant du cabinet du docteur Prével hier soir, elle est entrée dans une boutique chic de la rue Laurier parce qu'elle avait envie de s'offrir quelque chose de beau pour son anniversaire. Mais elle n'aurait pas dû déboucher le flacon d'huile aujourd'hui, puisque c'est demain seulement qu'elle aura vingt ans. Elle n'aurait peut-être pas dû non plus se permettre une pareille dépense parce que Ppa ne lui enverra pas d'argent avant le mois prochain. Il faudra qu'elle mange moins en attendant. Ça ne lui fera pas de tort, quoi qu'en pense le docteur Prével qui affirme que son poids est redevenu presque normal. Mais le docteur ne connaît pas Mman...

Manon a toujours eu trop ou pas assez d'appétit. Les premiers jours à l'hôpital, les infirmières l'ont nourrie à l'aide d'un tube parce qu'elle refusait d'ouvrir la bouche. Au bout d'une semaine de ce traitement, elle a recommencé à manger. Mais elle ne terminait jamais son assiette. Elle préférait s'empiffrer avec les cochonneries que Ppa lui apportait le dimanche. Elle le fait encore, malgré les recommandations du docteur Prével. En ce moment justement, elle meurt de faim. Après son bain, elle se paiera la traite avec des biscuits au chocolat. Elle devrait se contenter d'un peu de fromage sur une tranche de pain brun, mais c'est plus fort qu'elle, il faut qu'elle croque du sucre, sinon elle se remet à croire aux histoires effrayantes qu'elle imagine. Pareil pour ces pilules qu'elle achète à Jimmy, son voisin de palier. Manon sait bien que c'est de la cochonnerie, ça aussi, mais elle ne peut pas vivre sans cochonneries. Le docteur Prével ne serait pas d'accord avec elle. Il dirait que Manon doit apprendre à manger comme elle doit apprendre à se laver. S'il savait qu'elle a fait la connaissance de son voisin de palier, il serait enchanté. Il dit souvent qu'elle doit se faire des amis. Mais sans doute n'aimerait-il pas beaucoup cet ami-là parce qu'il n'aime pas les pilules, sauf quand c'est lui qui les prescrit.

Jimmy est très dur avec les personnes qui lui doivent de l'argent. Il l'a répété à Manon à plusieurs reprises. Manon sait qu'il dit ça pour lui faire peur, mais qu'au fond il ne ferait pas de mal à une mouche. De toute façon, elle ne lui doit presque rien. Quand elle aura trouvé du travail, elle pourra se payer autant de pilules qu'elle voudra. Et elle s'achètera une robe à fleurs, semblable à celle que Mman portait à l'hôpital. Ou bien un pantalon collant, comme en portent ces jolies filles qu'elle croise dans la rue. Un jour qu'elle sortait du cabinet du docteur Prével, elle en a vu une comme ça. Une fille belle comme une image de magazine, qui s'est arrêtée pour la dévisager comme si elle était une créature de cirque. Ou un monstre aussi terrifiant que le monstre du lac Noir. La fille tremblait en la regardant. Elle ressemblait un peu à Mman. Elle avait le même regard perçant. Manon ne savait pas quoi faire pendant que la fille l'examinait. Alors, elle est restée sans bouger en s'efforçant de ne pas montrer qu'elle avait peur, jusqu'à ce que la fille s'éloigne en marchant sans toucher terre comme un mannequin. Il faisait très chaud, ce jour-là aussi.

Le docteur Prével a été fou de joie quand il a appris que Manon avait eu la bonne idée de chercher du travail. Sauf qu'elle ne sait pas encore très bien ce qu'elle serait capable de faire. Peut-être pourrait-elle garder des enfants? Ça ne devrait pas être trop difficile. Quand elle se rend au cabinet du docteur, elle traverse un parc où elle voit souvent des femmes venues d'encore plus loin que du Lac-Noir promener des enfants d'ici. Les enfants sont bien élevés. Ils s'assoient à une table de pique-nique et ils mangent des carottes tranchées en bâtonnets. Ils habitent des maisons qui donnent sur de beaux jardins et, l'été, ils se baignent dans des piscines grandes comme le lac Noir, où ils peuvent barboter à leur aise parce que l'eau est si limpide qu'aucun monstre ne pourrait s'y dissimuler. Le cabinet du docteur Prével est situé dans le sous-sol de l'une de ces maisons-là, mais il possède une entrée particulière, et Manon n'a jamais visité les étages au-dessus.

Manon entend Jimmy crier dans l'appartement voisin. Sans doute est-il en train de se disputer avec quelqu'un qui lui doit de l'argent. À moins qu'il ne s'engueule avec son ami Emmanuel. À force de s'égosiller comme ça, il va finir par s'étouffer. Jimmy n'est pas en bonne santé, lui non plus, il n'arrête pas de tousser. L'autre jour, il a fait des confidences à sa voisine. Il a parlé de son ami Emmanuel, un coiffeur qui est beau, riche, mais très *mean*. Manon, elle, ne lui a rien confié. Elle ne raconterait jamais ses histoires personnelles à ses voisins. Elle a bien assez du docteur Prével pour ça.

Peut-être que Jimmy connaît quelqu'un qui aurait besoin d'une gardienne d'enfants, même si elle n'est pas venue de plus loin que du Lac-Noir ? Il y a tellement de gens qui défilent dans son appartement. Manon ira le voir tout de suite après son bain. Jimmy sera content, lui aussi, d'apprendre qu'elle cherche du travail. Chaque fois qu'elle lui achète des pilules ou autre chose, il dit que c'est dommage, que si elle en avait les moyens il lui filerait *a much better stuff*, mais qu'il ne peut pas continuer à lui faire crédit. Jimmy parle l'anglais aussi bien que le français parce que ses parents sont italiens. Il utilise même des mots d'autres langues qu'il a appris en voyage. Il n'y a pas que le docteur Prével qui voyage, Jimmy aussi, il a presque fait le tour du monde. Manon, elle, n'a jamais voyagé. C'est pour ça qu'elle n'est pas bilingue, même si elle comprend quelques mots d'anglais par-ci par-là. Mais ça n'est pas grave. Si jamais elle garde des enfants anglais, elle apprendra leur langue. De toute façon, elle a tellement de choses à apprendre... Le docteur Prével a raison. Manon aura vingt ans demain, mais elle n'a pas encore appris à vivre. Peut-être ne l'apprendra-t-elle jamais ? C'est ce que Mman avait l'habitude de dire autrefois, lorsque Manon faisait quelque chose de mal.

À ta place Ariane je partirais peut-être même par-
tirais-je pour ne plus revenir si je n'avais la certitude de me
retrouver ailleurs aussi inconsistante qu'ici car «il ne s'agit
pas de vivre mais de partir» je ne sais plus qui a prononcé
ces paroles inspirées Isabelle Eberhardt ou quelque autre
aventurier plus intrépide que moi qui marque le pas piétine tourne en rond autour de ce simulacre de personnage
que j'incarne

tu ne connais pas ta chance Ariane Cousineau tu
déplores ce trop-plein d'existence qui te donne le tournis
sans songer qu'à moi ta voisine d'en haut il n'arrive jamais
rien si bien que je n'ai d'autre choix que de m'imaginer à
ta place tournant de ville en ville Paris Londres Vienne
Milan Saint-Pétersbourg telle une saltimbanque qui jongle
avec des chimères d'emprunt me figurant les flâneries le
long des berges de la Seine de la Tamise de la Neva les
pèlerinages à la Figarohaus Beethovenhaus Schuberthaus
entre deux concerts les répétitions les représentations les
ovations les rencontres inespérées avec les stars du métier le
trac l'euphorie la fatigue les bonnes bouffes avec les camarades de l'orchestre après le spectacle les rapides fonçant
dans la nuit européenne les inévitables pépins à l'arrivée
valises égarées voix esquintées horaires bousillés

autant de clichés rutilants qui défilent dans ma tête Ariane depuis que tu as fait miroiter à mes yeux cette tournée de rêve qui menace le nid douillet où Alain petit Lou et toi mitonnez tout uniment.

À ta place Ariane j'hésiterais moi aussi à m'évader de mon cocon je ne cesse de me contredire c'est vrai mon cœur oscille comme un pendule tantôt il s'emballe pour l'Europe tantôt il fond pour ce petit Lou que j'ai voulu m'approprier avant même qu'il ne soit de ce monde de sorte que depuis sa naissance j'ose à peine m'en approcher de peur de te le ravir et de refuser de te rendre cet enfant que j'ai porté avec toi sans que tu n'en saches rien Ariane jusqu'à ce jour du mois dernier où je t'ai vue sortir de l'appartement soutenue par Alain qui portait ta petite valise

à peine étiez-vous montés dans le taxi que je commençais à regarder l'heure à respirer avec difficulté à imaginer le pire car il faut toujours que j'imagine le pire j'attendais le coup de fil d'Alain il n'a pas téléphoné bien sûr pourquoi l'aurait-il fait c'était à toi de me prévenir tu l'aurais fait le lendemain ou le jour suivant ou tu aurais attendu d'être de retour à la maison

alors n'y tenant plus je suis allée moi-même aux renseignements l'heure des visites était terminée depuis longtemps je me suis faufilée jusqu'à ta chambre à l'insu du personnel les bras chargés de présents fleurs champagne barboteuse à col marin mais en m'approchant du lit où tu reposais auprès d'Alain je suis subitement redevenue moi-même Dominique Légaré ventre vide cervelle creuse sourire contraint j'étais incapable de surmonter mon malaise

malgré tes efforts pour cacher le tien je lisais la stupé-
faction dans tes yeux comblés qui brillaient d'excitation et
de fatigue aussi

mais qu'est-ce que Dominique Légaré la voisine d'en
haut venait faire à ton chevet quelques heures seulement
après ton accouchement elle qui n'est pas une intime mais
une simple connaissance à qui tu réserves pourtant un
accueil aimable chaque fois qu'elle descend faire son tour
c'est-à-dire presque tous les jours tu es si chaleureuse
Ariane rien d'étonnant à ce que tu sois si entourée et n'aies
nul besoin de ces conseils que je te donne sans que tu me les
demandes et qui ne me servent que de prétextes à m'intro-
duire dans ta vie cet opéra fabuleux que tu interprètes avec
tant de brio Ariane car tu sais y faire toi tu as le tour l'art
la manière d'être toujours dans le ton sans jamais forcer la
note et j'applaudis médusée à chacune de tes prouesses
usurpant secrètement ta place m'identifiant à ton per-
sonnage de femme-orchestre empruntant ta voix pour fre-
donner la berceuse qui endort petit Lou mais me tient
éveillée

moi Dominique Légaré qui suis incapable de trouver le
courage de me lever et d'entreprendre cette tournée du
samedi qui me mènera aussi loin qu'à l'église Saint-
Viateur au salon Clip à l'hôtel Plaza là où se rassemble-
ront les vedettes de la journée auprès desquelles je jouerai
une fois de plus les utilités.

Depuis son accouchement, Ariane Cousineau n'est guère sortie de la maison, sauf pour faire prendre l'air à petit Lou par beau temps. Malgré les exhortations de son entourage – ses parents, sa belle-mère, ses amis, ses camarades de l'orchestre, et même sa voisine d'en haut, Dominique Légaré, qui se mêle de lui prodiguer des conseils chaque fois qu'elle descend faire son tour –, elle ne s'est pas encore résignée à faire appel à une gardienne. Comment laisser à des mains étrangères le soin de langer Lou, de saupoudrer de talc ses fesses de petit cochon, de caresser sa peau de lait? Quelle voix saurait chanter aussi bien que la sienne la jolie *Berceuse* de Schumann qui toujours l'endort? Mais n'en déplaise à ces empêcheurs de pouponner en rond et à leur prêchi-prêcha assommant sur les effets pervers de la symbiose mère-enfant, Ariane continuera de bichonner son petit Lou tant et aussi longtemps qu'elle en aura envie.

En ce moment, par exemple, elle préfère regarder son angelou dormir que de profiter de son sommeil pour se reposer elle-même ou pour travailler un peu. À cette heure matinale, il ne serait pas question, bien sûr, de faire des vocalises, mais elle pourrait au moins feuilleter ses partitions. Encore faudrait-il qu'elle en éprouve réellement le désir... Car, si elle continue d'entretenir vaille que vaille sa voix de mezzo-soprano, c'est avec appréhension qu'Ariane envisage son retour au travail, surtout depuis qu'elle a appris que le chœur de l'orchestre symphonique partira bientôt en tournée. Plutôt que de se réjouir de cette occasion inespérée de se produire sur quelques-unes des plus grandes scènes d'Europe, elle songe à demander une prolongation de son congé de maternité, bien qu'Alain l'ait mise en garde contre d'éventuels regrets. Peut-être a-t-il raison? Son refus nuira certainement à sa carrière, s'il n'y met pas fin tout simplement. Mais la tournée durera deux mois, sinon trois. Pendant ce temps, Lou fera entendre ses premiers gazouillis d'oisillon. Comment pourrait-elle se priver de ce concert-là? Jusqu'à maintenant, elle a dû se contenter de l'entendre pleurer de jour comme de nuit.

Chose certaine, petit Lou a déjà du coffre. Quand il fait une crise, Boule Noire rabaisse les oreilles et court se réfugier dans le placard de l'entrée, où il n'hésite pas à commettre quelque dégât odorant pour se venger de cette créature hurlante qui accapare l'attention de sa maîtresse. À supposer que celle-ci revienne sur sa décision, la pauvre bête risque de souffrir de son absence, car Boule Noire est le chat d'Ariane, pas celui d'Alain qu'il s'obstine, en dépit de trois années de cohabitation, à considérer comme un hôte de passage tout juste bon à mettre dans son plat la ration supplémentaire de nourriture destinée à l'amadouer. L'arrivée du bébé est venue assombrir encore sa vie de vieux matou ombrageux. Petit Lou empiète chaque jour davantage sur son territoire. Le pauvre est encore si petit pourtant! Il ne fait même pas le poids de Boule Noire, un chat obèse comme la plupart des chats d'appartement. Comment un si petit Lou pourrait-il se débrouiller sans sa maman ?

Ariane ne partira pas, même si son entourage – son père, sa belle-mère, ses camarades de l'orchestre, et même sa voisine d'en haut, Dominique Légaré, que sa condition de femme nullipare n'empêche aucunement de se prononcer sur la question –, l'assure qu'elle n'est pas irremplaçable. La mère d'Ariane est l'unique voix discordante dans ce chœur d'âmes insensibles. Elle seule comprend qu'un nouveau-né ne puisse se passer impunément de sa maman. Quant à Alain, il évite de prendre parti, mais Ariane sait qu'elle pourrait compter sur lui, advenant le cas, improbable, où elle céderait aux pressions de son entourage. Alain l'aime assez pour la laisser partir. Et il aime assez Lou pour être capable de lui servir de mère autant que de père pendant ces quelques mois. Lui aussi n'accepte de sortir qu'à contrecœur, quoique son travail de professeur de musique l'y oblige davantage. C'est lui qui chanterait à petit Lou la *Berceuse* de Schumann qui toujours l'endort, du moins les soirs où il ne serait pas forcé d'avoir recours à une gardienne d'enfants. Mais Alain est d'un naturel si peu méfiant qu'il pourrait faire confiance à n'importe qui – à quelque vieille dame à moitié sourde qui somnolera pendant que Lou s'époumonera à crier, ou à quelque adolescente sans expérience qui fredonnera pour apaiser ses pleurs le refrain d'une rengaine à la mode.

Le moment est peut-être venu de faire une première fois l'expérience du baby-sitting. Si elle a (presque) décidé de renoncer à la tournée, Ariane ne s'est pas pour autant engagée à consacrer toutes ses soirées à veiller sur le sommeil de petit Lou, seule ou en compagnie d'Alain.

À ce sujet, il faut reconnaître que la voisine d'en haut, Dominique Légaré, n'a pas entièrement tort : le *cocooning* intensif, ça rend bête, voire méchant à l'occasion. Ariane et Alain ne se sont-ils pas surpris plus d'une fois en train de se disputer à propos de coliques ou de tétines ? Récemment, ils sont même allés jusqu'à s'engueuler sérieusement au sujet de l'horaire des biberons et de la manière de les donner. C'est qu'ils sont épuisés tous les deux, même s'ils ont honte de l'avouer. Alain a des poches sous les yeux et Ariane, une tête qui ferait peur à son coiffeur. Lou ne fait pas encore ses nuits. Peut-être ne mange-t-il pas à sa faim ? Il a un petit bedon bien rond pourtant, mais il se réveille souvent en pleurant entre deux boires. Hier encore, ses parents ont passé la moitié de la nuit debout. Mais ils ne se sont pas disputés. Ils ont préféré imaginer l'avenir de Lou – un de leurs passe-temps favoris, en ce moment, malgré cette espèce de pudeur que chacun éprouve à révéler à l'autre ses fantasmes les plus naïfs. « Quand petit Lou sera grand... » Il suffit que l'un commence la phrase pour que son interlocuteur la termine : « ... il tirera la queue de ce pauvre Boule Noire..., il construira des châteaux de sable avec une petite pelle en plastique rouge..., il battra des mains en reconnaissant l'Éléphant dans *Le Carnaval des animaux*..., il donnera des concerts dans le monde entier..., il... »

Mais, d'ici à ce que petit Lou soit devenu un grand garçon capable de se garder tout seul, pourquoi ses parents ne se rangeraient-ils pas à l'avis général en allant manger au restaurant, ce soir ? Changer d'air ne leur ferait certainement pas de mal. À force de respirer les odeurs de layette mouillée et de lait régurgité qui imprègnent l'appartement, ils vont finir par suffoquer. Mais pour cela, il faudrait trouver une gardienne (ou un gardien) fiable. Un beau samedi comme aujourd'hui, ça ne sera pas chose facile. À moins que la voisine d'en haut, Dominique Légaré, ne soit disponible? Il suffira de le lui demander. Elle s'arrêtera sûrement en revenant de l'église, où les funérailles de son patron seront célébrées tout à l'heure. Dominique ne doit pas avoir tellement de chagrin, elle n'a jamais pu supporter celui qu'elle avait surnommé le « vieux dindon », parce qu'il était toujours en train de se rengorger devant ses employés. Mais elle supporte encore moins sa fille, Aimée Bégin-Béland, une parvenue qui se prend pour la reine de l'édition, et que Dominique appelle méchamment la « mère Aimée ». Dominique exagère, bien sûr. C'est sa manière de protester contre un travail qui ne la satisfait pas vraiment. Mais elle a beau détester la « maison » – comme elle dit encore en parodiant le vocabulaire de la « mère Aimée » –, elle ne doit quand même pas se réjouir du malheur qui vient de s'abattre sur elle.

Ariane frissonne. Ce doit être l'effet de la nuit blanche qu'elle vient de passer. Il fait grand jour maintenant. La chambre de Lou est inondée de soleil. Un vent doux pénètre par la fenêtre entrouverte et fait tournoyer les figurines de bois suspendues au-dessus du lit. Avant midi, il fera aussi chaud qu'en plein cœur de l'été. Lou étrennera la barboteuse que Dominique lui a offerte le jour de sa naissance. Avec son col marin, il aura l'air d'un vrai moussaillon.

Pour le moment, il dort en suçotant son poing fermé, mais son sommeil est agité. Son petit corps tressaute comme s'il luttait contre quelque mauvais ange. La petitesse de Lou est telle qu'elle en devient parfois effrayante. On dirait qu'il n'est pas encore tout à fait de ce monde où s'accomplit, chaque jour, le miracle de sa survie. Il a le hoquet maintenant. Son visage chiffonné se plisse davantage. Ariane chantonne à mi-voix la *Berceuse* de Schumann. Les hoquets s'espacent, et Lou se remet à téter son poing. Son masque de nouveau-né révèle le vieillard qu'il deviendra. « Quand Lou sera vieux... »

C'est Boule Noire qui interrompt ce jeu stupide en réclamant sa pâtée. Depuis la naissance de Lou, il mange deux fois plus qu'avant. Comme il passe la moitié de ses journées dans le placard de l'entrée, il grossit à vue d'œil. Il demande la porte vingt fois par jour. Mais il n'est pas aussitôt sorti que, déjà, il miaule pour rentrer. Puis, comme s'il était déçu de constater que sa maîtresse n'a pas profité de son absence pour se débarrasser de ce petit animal hurleur qu'elle a recueilli, il sort de nouveau. Peut-être Ariane ne devrait-elle pas prêter de pareilles intentions à son chat? Boule Noire est un bon chat au fond, même s'il a parfois tendance à exagérer un peu.

Il est près de sept heures et demie. Dominique vient de se lever. Ariane l'entend qui marche à l'étage. Sa chambre est située juste au-dessus de celle de Lou. C'est gênant, parce que la voisine d'en haut a le sommeil fragile. Cela fait des années qu'elle dort mal, du moins c'est ce qu'elle prétend, car Dominique a une certaine tendance à l'exagération, elle aussi. Ariane a tenté en vain de lui enseigner sa méthode d'autohypnose. Une méthode toute simple pourtant, qui sert à combattre le trac. Avant d'entrer en scène, elle se représente les lieux et elle s'entend chanter sa partition jusqu'au bout, sans faire la moindre fausse note. Pour s'endormir, c'est encore plus facile. On n'a qu'à s'imaginer un décor agréable dans lequel on fait quelque chose d'agréable en compagnie de personnes agréables : Ariane, Alain et Lou défendant leur château de sable contre l'assaut des vagues par exemple... Ariane rêve déjà. Quand elle aura nourri Boule Noire, elle mettra un peu de musique en sourdine – flûte ou violon, n'importe quoi, pourvu que ce ne soit pas du chant choral... –, puis elle ira s'étendre aux côtés d'Alain. «Quand Lou sera grand...» lui soufflera-t-elle à l'oreille. Mais avant même qu'Alain ait complété la phrase, Ariane aura sombré dans un sommeil réparateur que rien ne viendra troubler, pas même les pleurs de Lou réclamant le biberon que son père lui donnera.

Quand j'avais onze ans j'étais déjà atteinte mais je ne le savais pas encore il y avait bien ce flottement cette indétermination de l'être ces mille et un visages que j'empruntais tour à tour petite fille modèle ou rebelle femme savante ou fatale bonne-maman ou vieille dame indigne ma vie était un songe mille et une fois recommencé qui s'achevait avant même d'avoir débuté car à onze ans j'avais déjà perdu pied même si je l'ignorais encore et je mourais d'envie d'effectuer mon entrée dans la danse où je tournoierais telles ces étoiles fabuleuses auxquelles j'avais l'ingénuité d'imaginer que je ressemblais A comme Anna Pavlova Alicia Markova ou Alla Sizova B comme La Bayadère ou La Belle au bois dormant C comme Cendrillon Coppélia ou Cléopâtre D comme...

les D étaient pipés la règle du jeu interdisant de piger l'initiale malsonnante D comme Dominique ou «Domdom» ou «Dummy» ainsi que m'avaient ironiquement surnommée mes camarades d'école qu'agaçaient mes allures éthérées de petit rat

il me fallait me tenir à distance de ces belles parleuses qui me faisaient la nique en me criant des noms dont je cherchais la signification dans mon dictionnaire français-anglais où s'étalait en toutes lettres la définition de mon

prénom amputé de sa dernière syllabe je n'étais pas une
étoile mais une «dummy» c'est-à-dire une marionnette
entre les mains d'un ventriloque sans imagination voilà
pourquoi je n'avais pas moi Dominique Légaré d'his-
toriettes à raconter à mes copines de classe mais j'écoutais
les leurs tout en continuant d'égrener en secret mon cha-
pelet de prénoms qui résonnaient comme autant de pro-
messes de l'avenir glorieux auquel j'aspirais Ekaterina
Isadora Martha Natalia Olga Pierina Tamara Viola

j'avais onze ans mais je ne les aurais pas toute ma vie
pariais-je avec moi-même misant sur l'espoir d'échapper
avant ma majorité à ma condition de pantin à onze ans
j'étais déjà sceptique mais je n'avais pas encore perdu con-
fiance en mon étoile tant ces prénoms chatoyants que j'en-
filais tel un joaillier des pierres précieuses éblouissaient mon
âme d'enfant S comme Schéhérazade Scarlett ou Sara...

Quand j'avais onze ans j'étais déjà fébrile mais pas
encore consumée par la fièvre de l'envie qui année après
année a dévoré ma foi en l'existence au point où je soupire
aujourd'hui après le lit que je viens à peine de quitter à
onze ans j'étais déjà insatisfaite mais pas encore résignée à
ne jamais cesser de l'être j'avais si hâte de grandir que je ne
touchais pas terre en marchant de la maison à l'école je
bondissais secouais les mains poursuivais mes dialogues
intérieurs avec mes muses intimes les fées les princesses les
prime ballerine assolute *avant de m'affaler telle une*
poupée de chiffon sur mon pupitre d'écolière où je languis-
sais jusqu'à ce que mue par je ne sais quel ressort dont
j'ignorais qu'à force de rebondir il finirait par se briser je
m'élance à la poursuite d'autres chimères

j'étais déjà hors de moi Dominique Légaré mais je ne le savais pas encore et je me maintenais dans cet état d'apesanteur où j'évoluais parmi les étoiles j'avais la grâce la légèreté l'insouciance de Sara la petite Sara qui virevolte comme un elfe sous la fenêtre de ma chambre toute à sa joie de célébrer le commencement de cette radieuse journée de l'été finissant.

Sara vient encore une fois de rater sa pirouette arrière. Elle se relève en tapotant les volants de sa minijupe. Pourvu qu'elle ne l'ait pas salie ou déchirée ! car, telle qu'elle la connaît, sa copine Noémie serait capable de faire toute une histoire pour un accroc ou une tache d'herbe. C'est elle, pourtant, qui a proposé de troquer sa jupe à cerceaux contre les créoles en paille de Sara, mais malgré ses onze ans et demi, il arrive encore à Noémie Pomainville de se conduire comme un bébé gâté qui ne sait pas ce qu'il veut et qui se laisse influencer par n'importe qui. Ainsi il suffirait que sa belle-mère, la célèbre Anne-Marie Benedetti, décrète que les créoles ont cessé d'être « tendance » pour que Noémie renonce à porter les boucles d'oreille de Sara. Mireille Racine, la mère de Sara, connaît toutes les expressions à la mode qu'utilise l'« incontournable » chroniqueuse. Elle l'imite très bien. C'est normal puisqu'elle est comédienne et que son métier l'oblige à se tenir au courant de l'actualité artistique. Dieu sait si les « papoteurs » culturels l'agacent pourtant, surtout celle-là !

Même si elle subit son influence, Noémie déteste sa belle-mère, imitant en cela une grande partie du public qui partage l'opinion de Mireille Racine sur la reine des papoteuses. Elle n'aime pas beaucoup sa mère non plus – une avocate de renom qui habite Outremont, elle aussi, et qui a un horaire aussi chargé qu'Anne-Marie Benedetti, si bien que c'est Noémie qui, la plupart du temps, écope de la garde de son petit frère. Raphaël vient d'avoir six ans, mais il n'en avait que deux au moment du grand dérangement, c'est-à-dire de la séparation des époux Pomainville. C'est à ce moment-là que Sara a fait la connaissance de Noémie. Depuis, elle aussi joue de temps en temps les petites mamans auprès de Raphaël, ce qui n'est pas déplaisant pour une fille unique, même si elle préférerait quelquefois rester en tête-à-tête avec Noémie. À l'école elles sont toujours ensemble, mais Noémie a tellement d'occupations qu'elles n'ont pas si souvent l'occasion de se voir autrement. Elle suit des cours de musique et d'acrobatie. Et son Papou chéri l'emmène partout où il va : au cinéma, au musée, au restaurant, à la montagne, au bord de la mer. Parfois, il invite aussi Sara, mais rarement. L'été prochain, il veut emmener Noémie et Raphaël en France. Noémie voudrait bien que Sara les accompagne. Mais Mireille n'aura jamais l'argent du billet d'avion, à moins qu'elle ne décroche un rôle important dans une série télévisée, ce qui paraît peu probable compte tenu de ses antécédents. Ces dernières années, elle n'a rien fait d'autre que des pubs et de la postsynchro.

Sara n'a pas beaucoup de temps libre, elle non plus. Il faut bien qu'elle s'occupe de sa mère. Mireille Racine a un tempérament d'artiste. C'est elle-même qui le dit pour excuser ses étourderies. Si Sara n'y voyait pas, Mireille oublierait de payer ses comptes, de remplir le frigo, ou même d'étudier les quelques propositions de travail qu'elle reçoit. Mireille dit aussi qu'elle ne regrette pas de ne pas faire plus souvent de télé, qu'elle préfère le théâtre. Mais Noémie prétend qu'elle ment quand elle dit ça. Noémie n'aime pas les femmes. Sara exceptée, bien sûr. Elle tolère Mireille pourvu qu'elle ne tourne pas autour de Bernard Pomainville, son Papou chéri. Rien à craindre de ce côté. Mireille n'aime pas les hommes sérieux, elle n'aime que les *bums*. Ça aussi, c'est elle qui le dit, et ça n'est malheureusement que trop vrai. Pourtant, à certaines époques de sa vie d'artiste, elle aurait eu bien besoin d'un homme dans le genre de M. Pomainville pour prendre soin d'elle. À vrai dire, elle en aurait encore besoin aujourd'hui, même si elle se débrouille un peu mieux qu'avant. Sara fait son possible pour l'aider, mais cela ne suffit pas toujours, surtout quand sa mère est déprimée, ce qui se produit assez fréquemment et s'explique aisément, compte tenu du métier difficile qu'elle a choisi. Personne ne pense à Mireille Racine pendant de longues périodes au cours desquelles la comédienne doute de son talent en plus de courir après l'argent, puis, sans raison apparente, les agences de casting se souviennent d'elle toutes en même temps, et elle ne sait plus où donner de la tête. Elle confond les dates dans son agenda, arrive en retard à ses rendez-vous, perd les textes sur lesquels elle doit travailler, a des trous de mémoire, bref elle panique et elle finit par rater la plupart de ses auditions, voire par ne pas s'y présenter du tout.

Mireille Racine mériterait pourtant d'être aussi célèbre qu'Anne-Marie Benedetti qui a une voix nasillarde et qui n'est même pas jolie. Quand elle apparaît dans une pub à la télé, elle crève l'écran. Et sa diction est parfaite. Ça, ça n'est pas Mireille qui le dit, c'est Noémie.

Peut-être la copine de Sara n'est-elle pas tout à fait objective ? À ses yeux, Anne-Marie représente la rivale par excellence, celle qui lui dispute le cœur et l'attention de son Papou chéri. D'ailleurs, quand elle parle de sa belle-mère, elle ne dit pas Anne-Marie, mais «Elle», «l'Autre», «Celle-là», ou encore «l'Anne-Marie de Papou». Pourtant, quand «l'Anne-Marie» disserte à la télé sur «l'effet fin de siècle» par exemple, Noémie l'écoute religieusement et, le lendemain, elle se promène dans la cour de l'école en répétant ses propos, même si le genre d'émissions qu'anime «Celle-là» n'intéresse personne, hormis quelques pimbêches de treize ou quatorze ans qui se donnent des airs d'artistes ou d'intellos. Il lui arrive même de découper les articles que sa belle-mère signe dans les journaux. Mais Noémie Pomainville n'en est pas à une contradiction près. Ainsi, même si son Papou adoré – qui fait tous les caprices de sa fifille d'amour pour se faire pardonner son remariage avec «l'Autre» – vient de lui offrir une nouvelle jupe à cerceaux en même temps que d'adorables espadrilles brodées qui ont dû coûter un prix fou, il ne serait pas étonnant que, du jour au lendemain, elle décide de réclamer sa vieille mini.

Poursuivant son examen, Sara constate que, si la jupe paraît intacte, elle a par contre taché son *body* de dentelle écrue, le *body* de Mireille plutôt, ce qui revient pour ainsi dire au même, puisque la mère et la fille partagent tout, les problèmes d'argent comme les vêtements, surtout depuis qu'elles ont à peu près la même taille. C'est qu'à cette heure matinale l'herbe est encore humide. En plus, le carré de pelouse n'a pas été tondu depuis le début de l'été. Une fois par semaine, Sara ramasse les papiers gras et les autres saletés qui s'accumulent sur le terrain. Depuis quelque temps, elle aime bien feuilleter les albums de jardinage qu'elle emprunte à la bibliothèque. À force de les regarder, elle s'est mise à faire des plans pour aménager un jardin dans la cour. Elle en a discuté une fois avec le jardinier italien qui travaille chez les Pomainville. Même s'il n'a pas l'habitude de s'intéresser à des surfaces aussi réduites, M. Fiore a répondu à toutes ses questions et il lui a fait quelques suggestions. Ainsi, il lui a conseillé de ne pas attendre au printemps pour planter le lierre destiné à masquer la clôture qui sépare la cour de la ruelle. Elle pourrait le faire dès maintenant. Il suffirait de convaincre sa mère de lui avancer les quelques dollars nécessaires à l'achat des plants et des outils...

Mais Sara ne l'embêtera pas avec ça aujourd'hui. En ce grand jour du 14 septembre, la comédienne a mieux à faire. Dans quelques heures en effet, elle présentera au théâtre de Quat'Sous l'audition qu'elle prépare depuis des semaines. Ce samedi risque d'être une journée décisive dans la carrière de Mireille Racine. Car c'est elle qui décrochera le rôle, cette fois. Sara en est tellement persuadée qu'elle a déjà annoncé la nouvelle à Noémie. À l'heure qu'il est, Anne-Marie Benedetti doit la connaître, elle aussi. Tant mieux! la papoteuse le dira peut-être à la télé ou elle l'écrira dans le journal. Et le directeur du théâtre sera bien obligé d'engager Mireille. De toute façon, il s'apercevra vite qu'elle *est* le personnage. Quand la mère de Sara joue la sorcière et qu'elle évoque la charrette qui cahote sur la route poussiéreuse et le fer du collier qui lui entame le cou, elle a l'air de souffrir vraiment. Et quand elle étend les bras et tournoie sur elle-même en martelant les mots qui décrivent son supplice : «Puis, ils m'ont clouée sur l'échelle et ils l'ont levée au-dessus du feu», les larmes montent aux yeux de Sara qui l'aide à mémoriser le texte – un très long et très beau monologue dans lequel la sorcière raconte son exécution.

Car, comme Sara a été forcée de l'expliquer à Noémie qui ne connaît pas grand-chose à l'histoire, cette sorcière-là n'est pas une sorcière d'Halloween ou de conte de fées, c'est une vraie sorcière comme il y en avait au Moyen-Âge. Une sorcière amoureuse du Diable. Ce Diable n'apparaît pas dans la pièce. Seule la sorcière le voit. Grâce à lui, «qui tient son grand corps devant le sien», elle n'a pas peur quand le feu monte vers elle et qu'elle s'affaisse sur le bûcher où elle flambe comme une torche.

La pièce s'intitule *Peinture sur bois*. C'est un cinéaste suédois qui l'a écrite, il y a longtemps. Plus tard, il en a fait un film en noir et blanc que Mireille a loué dans un club vidéo. Mais dans *Le Septième Sceau*, la sorcière a disparu. Pourtant, c'est le plus émouvant des personnages de la pièce. Par moments, le monologue de la sorcière ressemble à un poème. Mireille l'a mémorisé en entier, même si ça n'était pas obligatoire pour passer l'audition. Sara, qui le lui a fait répéter des dizaines de fois, le connaît par cœur, elle aussi. Si la mémoire de sa mère venait à flancher, elle pourrait lui souffler son texte. Mais Mireille ne veut pas que sa fille l'accompagne au théâtre. Elle dit que ça ne se fait pas. De toute façon, elle saura bien s'en tirer toute seule. Elle est vraiment décidée à obtenir le rôle. Elle a même pris rendez-vous chez le coiffeur parce que le texte de la pièce spécifie que les geôliers ont coupé très court les cheveux de la sorcière avant de la conduire à l'échafaud.

Le rendez-vous est à neuf heures. Il est temps de rentrer préparer le café au lait. Sara exécute une dernière pirouette. Loupée, comme les précédentes. Sa technique du saut périlleux n'est décidément pas tout à fait au point... Pourtant, elle contrôle bien l'élan, la détente, et chacun des mouvements que son corps effectue quand il accomplit un tour complet sur lui-même, mais c'est la phase finale du saut, la réception au sol, qu'elle maîtrise mal. De toute façon, Sara ne deviendra jamais trapéziste ou acrobate. À onze ans, elle a déjà pris trop de retard. Noémie, elle, suit des cours depuis qu'elle a neuf ans. Sara aimerait bien en suivre, elle aussi, mais sa mère n'a pas les moyens de les lui offrir, alors elle se contente des leçons improvisées que Noémie lui donne à l'occasion.

Mais pourquoi rate-t-elle, ce matin, des pirouettes qu'elle réussissait assez bien, hier encore? Est-ce parce qu'elle se laisse distraire par le spectacle du ciel qui chavire au-dessus de sa tête? Ou parce qu'elle est obnubilée par le personnage de la sorcière qui revient chaque nuit hanter ses rêves? Mireille jure qu'elle va brûler les planches du Quat'Sous. Dans ses pires cauchemars, Sara voit le théâtre qui s'embrase tout entier : les rideaux, la scène, les fauteuils, le directeur qui ressemble au Diable, et sa mère surtout, sa mère qui tournoie et bascule dans le bûcher. Pour se rassurer, il faut qu'elle se récite certains passages apaisants du monologue, celui-là par exemple : «Quand nous sommes arrivés au lieu de l'exécution, à la croisée des trois chemins, ils ont délié mes entraves et j'ai penché la tête en arrière. Au-dessus des pins, au-dessus de tout, il y avait des nuages en forme de mains.»

C'est pareil aujourd'hui, il y a de petits nuages qui flottent comme des écharpes de gaze dans le ciel bleu. Et Boule Noire, le chat des Cousineau, fait des bonds comme s'il voulait les attraper. Il rate toutes ses pirouettes, lui aussi. Mais c'est un vieux matou qui doit avoir au moins douze ans, peut-être même davantage. Avec ses yeux couleur de soufre et sa fourrure de jais, ce chat ressemble à un chat de sorcière. De sorcière d'Halloween du moins. Pourtant, quand les jumeaux Xanthos l'empoignent de force pour l'amener sur leur balcon, leur grand-mère le chasse à grands coups de balai. Même si elle est toujours vêtue de noir, la vieille Xanthos n'aime pas les chats de sorcières.

Sara ne connaît pas ses voisins d'en face. Mais elle sait que Mme Cousineau est une cantatrice célèbre, puisque Anne-Marie Benedetti l'a déjà interviewée. Elle sait aussi que Mme Cousineau vient d'avoir un bébé qui pleure beaucoup. Peut-être Sara aura-t-elle un jour un ou plusieurs bébés? Mais elle ne deviendra pas cantatrice pour autant, même si elle aime beaucoup la musique. À onze ans, il est sûrement trop tard pour commencer d'apprendre le chant. Et les leçons privées doivent coûter très cher. À vrai dire, Sara ne sait pas ce qu'elle deviendra plus tard. Noémie, elle, rêve de faire partie du Cirque du Soleil, mais son Papou bien-aimé ne veut pas en entendre parler, même s'il lui paie des cours d'acrobatie. Alors, comme la plupart des filles de secondaire I, elle dit qu'elle sera vétérinaire. Voilà qui ne plairait pas du tout à Sara qui a peur des chiens et qui déteste les piqûres. Chose certaine, elle ne deviendra ni comédienne ni papoteuse, même s'il n'est peut-être pas trop tard pour apprendre ces métiers-là. Quoi qu'il en soit, tout ce qui importe aujourd'hui, c'est le résultat de l'audition de Mireille. La comédienne ne sera pas de retour avant la fin de l'après-midi. Comment passer le temps jusque-là ? Sara téléphonera à Noémie. Si Papou n'a rien prévu pour distraire sa fifille, elles iront se promener rue Laurier et s'asseoir à une terrasse. Cet été, elles sont allées à plusieurs reprises à La Cage, où travaille le plus beau gars de l'école, Jérôme Prével, qui termine cette année son secondaire V. Noémie espère qu'il l'invitera au bal de fin d'année. Elle se fait des illusions, bien sûr. Dans toute l'histoire de l'école, jamais un finissant n'a invité au bal une fille de secondaire I. Après La Cage – et à condition qu'elles n'aient pas Raphaël dans les jambes –, elles remonteront le boulevard Saint-Joseph jusqu'à Saint-Laurent. Chemin faisant, elles pourront s'arrêter aux Belles-Lettres, le gros monsieur qui s'occupe de la librairie est si gentil.

Le Papou de Noémie n'aime pas que sa fille se promène à l'est de l'avenue du Parc. Il dit que c'est un quartier dangereux. Mais il ne sait pas de quoi il parle parce qu'en réalité il y a bien plus de bars où l'on vend de la drogue avenue du Parc que boulevard Saint-Laurent. Selon Mireille qui s'y connaît bien mieux que lui, il y aurait même des piqueries. M. Pomainville se fait toujours du souci pour rien. Résultat : Noémie est obligée de lui mentir tout le temps.

Renonçant à s'essayer une ultime fois au saut périlleux, Sara s'apprête à monter l'escalier. Cela fait près de trois quarts d'heure qu'elle est dehors. Pendant tout ce temps, Dominique Légaré n'a pas cessé de l'observer par la fenêtre de son appartement. C'est ce qu'elle a fait tout l'été, si bien que Sara et Noémie l'ont surnommée «la Spectatrice». La mère de Sara – qui l'a rencontrée quelquefois chez le coiffeur – dit qu'elle aimerait bien être à sa place, c'est-à-dire avoir un emploi stable, un bon salaire et des vacances payées. Dominique Légaré passe la plupart de ses journées de congé à épier les habitants de la ruelle par sa fenêtre du troisième étage. Les jours de grande chaleur comme aujourd'hui, elle s'assoit sur son balcon, elle ouvre un livre ou elle gribouille sur une tablette à écrire, mais elle ne cesse d'observer les gens à la dérobée comme s'ils étaient des personnages de théâtre. C'est gênant parfois. Si Sara n'avait senti le regard de la Spectatrice scruter chacun de ses mouvements tout à l'heure, peut-être ne serait-elle pas tombée aussi souvent? Et la (vieille) minijupe de Noémie Pomainville ne serait pas toute chiffonnée...

Même à cette heure matinale du samedi où tout le monde dort encore – sauf Sara qui rêvasse en triturant sa jupe, Boule Noire qui fait sa toilette dans le landau du bébé Cousineau où il vient de sauter d'un bond, et la vieille Xanthos qui s'est tiré une chaise sur son balcon –, Dominique Légaré continue de plonger son regard dans la ruelle. Elle ferait mieux de lever la tête vers le ciel et de contempler les petits nuages en forme de mains, qui flottent au-dessus des maisons, *au-dessus de tout...*

Sara interrompt sa rêverie. Si elle ne se secoue pas un peu, elle va encore s'interroger sur son avenir. Elle ne sait pas ce qu'elle fera plus tard, elle sait seulement ce qu'elle ne fera pas. C'est déjà ça!... Sara Racine ne sera ni acrobate, ni cantatrice, ni comédienne, ni avocate, ni papoteuse, ni spectatrice. Jardinière peut-être, comme M. Fiore? De toute façon, à onze ans et demi, elle a encore bien le temps d'y penser.

Je ne sais ce qui me retient ainsi captive à ma fenêtre d'où mon regard plonge dans la ruelle de l'avenue du Parc même quand il ne s'y passe rien ou presque comme à cette heure matinale du samedi où seules les petites filles de onze ans virevoltent sur le gazon mal entretenu des courettes en attendant le réveil de leur maman

est-ce la chaleur particulière de ce mois de septembre qui engendre cette espèce d'atonie pernicieuse contre laquelle il m'est devenu à peu près impossible de lutter un état quasi cataleptique entrecoupé de sursauts d'agitation sporadiques et qui perdure depuis le début de l'été sinon depuis plus longtemps encore...

je ne sais quel remède de bonne femme ou potion d'apothicaire me délivrera de la stupeur qui me cloue à ma fenêtre et m'enlève jusqu'à la sensation de la souffrance ou de l'ennui peut-être la froideur vivifiante de l'automne me rendra-t-elle enfin à moi-même Dominique Légaré quoique je me défie des fulgurances de cette saison multicolore qui fait s'exclamer les amateurs de feuilles mortes comme les enchante la blancheur lugubre de celle qui suit mais sans doute ne persisterai-je pas jusque-là et me lasserai-je bien avant l'hiver d'observer le ballet des personnages qui tournoient sous ma fenêtre sans soupçonner ma présence sauf Sara la petite Sara qui cabriole sous ma fenêtre en levant les yeux vers les figures en spirales que dessinent les nuages dans le ciel happant mon regard au passage à moins que ce ne soit celui de la grand-mère Xanthos qui vient tout juste de s'installer sur son balcon du troisième étage d'où elle passera la journée à regarder sans les voir ses petits-fils courir après la rondelle en imitant le bruit de la sirène du Forum se chamailler avec les autres garçons de la ruelle et célébrer leur victoire en lançant leur gant vers elle l'aïeule marmotteuse et éternellement vêtue de noir dont se moquent les enfants parce qu'elle ressemble à une sorcière d'Halloween ou à un épouvantail qu'on aurait fabriqué pour éloigner les chats du jardinet où mûrissent les plants de tomates dont elle surveille la croissance du haut de son mirador en se racontant à elle-même d'anciennes légendes de pâtres grecs ou de marins auxquelles ses petits-fils qui feront tout à l'heure leur entrée tapageuse sur l'asphalte de la patinoire ont depuis belle lurette cessé de croire.

Je ne sais non plus d'où émanent ces imprévisibles regains d'énergie qui subitement m'arrachent à ma fenêtre et me font m'adonner avec frénésie à toutes sortes d'activités professionnelles ménagères ou ludiques dans l'espoir de suppléer mon manque à vivre espoir légitime mais inévitablement déçu puisqu'elles me laissent par la suite encore plus abattue qu'auparavant et résignée à regagner mon observatoire et à n'en plus bouger sinon pour modifier ma perspective en redressant ou en inclinant davantage la tête ou encore en me déplaçant jusqu'à une autre fenêtre de l'appartement voire en sortant sur l'un ou l'autre de mes balcons arrière ou avant car certains per-

sonnages gagnent à être observés sous des angles différents Sara la petite Sara par exemple l'elfe bondissant de la ruelle de l'avenue du Parc que j'ai surpris tout à l'heure en train de grimper d'un pas contraint les marches de l'escalier menant à son logement comme si la grâce qui l'habitait encore il y a un instant lui avait été brusquement retirée au moment de répondre à l'appel du devoir filial...

Sara ou Normand Petit le libraire bedonnant et suant en route vers sa boutique et que j'aperçois zigzaguant entre les papiers gras qui tapissent l'asphalte sous le regard impavide de la vieille Xanthos plongée dans ses souvenirs de prêtresse de légende tandis que Boule Noire le chat s'étire dans le landau de petit Lou sans paraître se formaliser de ce que ce rôdeur matinal mais vraisemblablement inoffensif en dépit de l'odeur suspecte qu'il dégage s'enhardisse jusqu'à marcher sur les plates-bandes de sa maîtresse que surplombe la fenêtre de ma chambre d'où je contemple le visage boursouflé d'amour-propre de mon ex-camarade d'université Normand Petit dont la vue me révulse au point de me ramener à la réalité de mon emploi du temps d'aujourd'hui où j'ai fort à faire faute de ne pas être moi-même l'un de ces personnages hors du commun que le hasard s'amuse depuis quelque temps à mettre sur mon chemin comme pour me prévenir contre l'ambition de m'identifier à eux

aussi mon regard se détourne-t-il de ce bouffon en chaleur dont la face de lune ravive le souvenir de la folle aux gants d'assassin que j'ai croisée l'autre jour en sortant du cabinet du docteur Prével où je n'irai pas cette semaine puisque ce cher docteur a jugé bon de s'offrir un petit voyage à l'étranger ce qui ne changera pas grand-chose à cet état semi-hypnotique dont j'ignore l'origine et qui me retient captive à la fenêtre dont je finirai bien par m'éloigner ne serait-ce que pour m'épargner le spectacle de Normand Petit soupirant sous mon balcon tel Roméo Roméo lourdaud Don Juan repoussant Casanova bêta comme il en existe tant et qu'il semble que je sois moi Dominique Légaré prédestinée à attirer comme le miel les mouches.

«Vivement l'hiver!» s'exclame à mi-voix Normand Petit en remettant dans la poche de son pantalon de lin son mouchoir trempé de sueur. «Il y a quelque chose de pourri au royaume du...» continue-t-il à l'adresse du matou obèse qui le dévisage de ses yeux couleur de soufre. Mais, au moment où il s'apprête à poursuivre sa diatribe contre les saligauds de toutes espèces que la survie de cette planète suffocante préoccupe moins que leur propre avenir électoral ou financier, son auditeur lui fait faux bond en s'élançant hors de la voiture d'enfant où il se prélassait jusqu'à maintenant. Un chat couché dans un landau! On ne saurait trouver meilleure illustration de la crise des valeurs morales qui atteint le monde occidental en général, et la ville de Montréal en particulier. Dommage que le jeune Garneau – un habitué des Belles-Lettres, qui a fait de Normand Petit son mentor intellectuel – ne se soit trouvé là avec son appareil photo. Le futur reporter aurait pu tirer un parti intéressant de ce cliché hors du commun.

Au train où vont les choses, les petites filles auront bientôt disparu du quartier, et Normand Petit sera contraint de s'expatrier en banlieue, voire d'émigrer vers de plus lointaines et prolifiques régions du globe. Voilà qui risque de chambarder sa vie de sédentaire endurci! car le propriétaire des Belles-Lettres déteste voyager au point de ne se résigner qu'à contrecœur à rendre, une fois l'an, visite à sa vieille maman qui habite depuis plus d'un demi-siècle le même immeuble décrépit de Trois-Rivières – une ville située à quelque cent cinquante kilomètres à peine de la rue Jeanne-Mance où Normand Petit s'est établi lors de son arrivée dans la métropole, il y aura de cela bientôt vingt ans. N'était ce pèlerinage trifluvien que sa piété filiale le somme d'accomplir annuellement, la Phoenix 84 gris poussière que son père lui a laissée en mourant ne lui servirait à rien. Hormis quelques rares balades dans les rues du quartier, l'antique véhicule moisit dans le garage loué à son intention.

S'il ne déteste pas s'immerger à l'occasion dans le flot d'écolières court-vêtues qui empruntent l'autobus remontant l'avenue du Parc, Normand Petit préfère néanmoins se rendre à son travail à pied, à condition toutefois qu'il ne fasse ni trop chaud ni trop froid, ce qui n'est pas souvent le cas. Malgré le léger excès de poids dont il souffre depuis sa petite enfance, il a l'habitude de marcher d'un bon pas. En temps normal d'ailleurs, il aurait déjà parcouru la courte distance qui sépare son domicile de la librairie. Mais la crainte de mourir de suffocation dans la chemise de soie à motifs médiévaux qu'il étrenne ce matin lui a imposé de faire halte quelques instants sous le balcon de Dominique Légaré, son ex-camarade d'université qu'il se plaît à considérer comme son «ex-tout-court», en souvenir de la belle époque où l'étudiante en lettres était si éprise de lui qu'elle le pourchassait jusque dans la salle des périodiques de la bibliothèque sous prétexte de faire appel à ses connaissances en toute matière. Si elle n'avait été aussi inculte et superficielle, peut-être aurait-il fini par céder à ses avances ? Encore aujourd'hui, il arrive que son ex lui rende visite à la librairie dans le seul but de l'agacer en faisant la coquette devant lui. Il faut reconnaître qu'elle n'a pas trop mal vieilli. En contrepartie, elle est demeurée aussi intellectuellement sous-développée qu'autrefois, faute d'avoir bénéficié assez longtemps des lumières d'un homme d'esprit tel que lui, Normand Petit. Car, depuis qu'elle a quitté l'université, Dominique Légaré ne fréquente que des individus sans envergure. À l'heure qu'il est, il ne serait pas étonnant qu'elle soit occupée à batifoler avec l'un de ces étourneaux de passage au lieu de s'adonner à la lecture de quelque ouvrage recommandé par son ex-compagnon d'études et libraire attitré – *Manhattan Transfer* ou *La Mort de Virgile* par exemple.

Chose certaine, Dominique est déjà debout. À moins qu'il ne soit victime d'une hallucination provoquée par la chaleur, Normand Petit jurerait qu'il vient d'apercevoir une silhouette féminine qui s'éloignait prestement de l'une des fenêtres de l'appartement. À supposer que cette fenêtre soit celle de la chambre à coucher, sans doute son ex vient-elle tout juste de sortir du lit. De peur d'être surprise dans le plus simple appareil, la belle endormie aura préféré effectuer un mouvement de repli. Peut-être a-t-elle reconnu son ancien camarade ? Peut-être même s'attend-elle à ce qu'il monte la saluer ? Dans ces conditions, il vaut mieux s'abstenir. Car Normand Petit sait par expérience que s'il ne maîtrise pas entièrement le scénario qu'il a échafaudé, il ne parvient pas toujours à être à la hauteur du dénouement. Pareille mésaventure lui est arrivée à plusieurs reprises, ces dernières années. Au moment crucial, l'effet de surprise s'est chaque fois retourné contre lui, le laissant bouche bée. Or, quand il perd la parole, Normand Petit perd en même temps tous ses autres moyens, si bien qu'il n'a d'autre choix que de se retirer, la queue entre les jambes. Non qu'il ait la langue dans sa poche pourtant – au contraire, son jeune ami Garneau pourrait en témoigner! –, mais Normand Petit n'a jamais su comment composer avec la duplicité féminine. Les femmes sont toutes les mêmes. Elles ferrent le poisson, s'amusent un instant à le regarder frétiller, puis le rejettent au profit de ce qu'elles s'imaginent être une meilleure prise. Ce faisant, elles se leurrent elles-mêmes, car elles ignorent la valeur de ce qu'elles dédaignent. Dominique Légaré ne s'est jamais comportée autrement. À force de se dandiner devant des coqs de basse-cour, elle finira par se brûler les ailes, quoiqu'elle n'en ait plus pour bien longtemps à faire la poule. Si elle ne jette pas au plus tôt son dévolu sur un homme raisonnable du genre de Normand Petit, son ex-tout-court, la malheureuse risque de finir ses jours dans la solitude.

Depuis qu'il a déboutonné le col de sa chemise, Normand Petit respire mieux. Mais il continue de se sentir gêné aux entournures. Il a commis une erreur de taille en achetant cette chemise!... C'est la faute de l'adorable petite vendeuse qui travaille à temps partiel chez Virilis – une boutique du boulevard Saint-Laurent qu'il a fréquentée tout l'été avec une assiduité telle qu'en quelques semaines il a presque entièrement renouvelé une garde-robe demeurée inchangée depuis des années. La jeune fille est affublée de l'un de ces vulgaires prénoms composés qui pullulent par les temps qui courent (Anne-Sophie ou Ève-Marie?), mais son meilleur client l'a rebaptisée Charlotte à cause de sa ressemblance étonnante avec Charlotte Gainsbourg. Il est même allé jusqu'à se payer une veste de cuir – un «perfecto» dans le jargon de Charlotte –, qu'il doute d'avoir l'audace de porter, la saison venue. Il faut ce qu'il faut pour séduire les gamines d'aujourd'hui... Mais sous ses dehors effrontés, celle-là cache des délicatesses de jeune fille en fleurs. Ainsi, au lieu de se jeter à la tête du client en lui servant un sourire de commande accompagné d'une quelconque formule de bienvenue, la petite vendeuse conserve son air bougon habituel, jusqu'à ce que l'éventuel acheteur soit forcé de recourir à son assistance. Tout au plus l'encourage-t-elle du regard sans cesser de mordiller sa jolie lippe à la Gainsbourg.

Cette discrète mais irrésistible entrée en matière suffit d'ordinaire à mettre Normand Petit dans tous ses états. Prétendant ne pas savoir ce qu'il veut, il s'en remet entièrement à l'expérience de sa Charlotte. Et, tandis qu'elle tournoie sur ses chevilles fines en parcourant les allées, c'est à peine s'il tient sur ses jambes. Il feint alors de se laisser tenter par quelque imper dont il n'a nul besoin, à seule fin qu'elle le frôle de ses mains baladeuses en l'aidant à l'enfiler. Il arrive que le trouble de Normand Petit devienne tel qu'il soit forcé de se rabattre en vitesse sur n'importe quel vêtement nécessitant qu'il se retire dans une cabine d'essayage. Dès qu'il pénètre dans l'alcôve, il se caresse en lorgnant par-dessous le rideau les chevilles si émouvantes de Charlotte qui s'affaire dans la boutique en attendant qu'il ressorte de la cabine. Au bout d'un moment, il reparaît devant elle, sanglé dans une chemise ou un pantalon trop ajusté. Mais, pour peu que la petite y aille de quelque commentaire élogieux,

Normand Petit quitte la boutique Virilis, son paquet sous le bras, en se promettant chaque fois que la prochaine sera la bonne, c'est-à-dire qu'il réussira à entraîner Charlotte avec lui dans la cabine.

D'ici là, le propriétaire des Belles-Lettres aura certainement réussi à perdre quelques-uns de ses kilos en trop, surtout s'il continue à suer sous ce soleil ardent. À force de fantasmer sur le corps dévêtu de Charlotte, il se sent de plus en plus à l'étroit dans ses vêtements. Car son pantalon de lin – qui le serre désagréablement à l'entrejambe – n'est guère plus confortable que sa chemise de soie. Mais Normand Petit ne regrette pas ses récentes acquisitions pour autant. Avec ses dessins de châteaux forts et de paladins, sa chemise neuve s'assortit parfaitement à la vitrine de la librairie, consacrée ce mois-ci à la littérature enfantine. Cette vitrine fait la fierté de son concepteur qui n'a pas hésité à s'autoriser de ses préférences personnelles pour s'attirer les faveurs d'une jeune clientèle avide de découvertes littéraires. Des guirlandes de sucettes géantes courent tout autour des volumes artistiquement disposés, parmi lesquels figurent quelques pièces de collection, telle cette édition rarissime d'*Alice au pays des merveilles,* illustrée de daguerréotypes de fillettes tirés des archives de l'auteur. Pareilles curiosités finiront bien par inciter quelques bibliophiles en herbe à traverser de l'autre côté de la vitrine, voire à s'aventurer jusque dans l'arrière-boutique qui recèle quantité de trésors similaires accumulés au cours des ans par le propriétaire des Belles-Lettres.

Bien qu'il préfère avoir affaire à des enfants non

accompagnés, Normand Petit admet que la présence d'adultes est un mal nécessaire, surtout au moment de passer à la caisse. Mais il supporte mal leurs récriminations concernant ses politiques d'acquisition. Aux dires d'Aimée Bégin-Béland par exemple, son stock de livres québécois serait insuffisant. Cette accusation est tout à fait injustifiée, puisqu'elle généralise à toutes les maisons d'édition un sort que Normand Petit réserve à la seule maison Bégin, qui n'a pour ainsi dire rien publié qui vaille depuis qu'elle existe, hormis quelques ouvrages isolés d'auteurs débutants. Quant à Anne-Marie Benedetti qui est venue, hier soir, faire un tour à la librairie en compagnie des enfants Pomainville, elle aussi s'est permis de critiquer la vitrine. «Plus français que ça, tu meurs!» s'est-elle exclamée, recourant à l'une de ces expressions vulgaires popularisées par les médias. Selon cette pécore, l'épithète infamante englobe aussi bien *Les Misérables* que les traductions françaises d'*Oliver Twist* ou de *Pinocchio*! Mais cette profession de foi nationaliste ne s'est avérée qu'un prétexte destiné à justifier une pingrerie entretenue par la pratique du journalisme. Quand on s'appelle Anne-Marie Benedetti, on ne paie pas sa place au spectacle, on l'obtient à l'œil. Idem pour les livres qu'on reçoit en service de presse et qu'on se contente de parcourir parce qu'on n'a pas le temps de lire. C'est ainsi que le petit Raphaël s'est vu refuser par sa marâtre *Le Grand Livre des fées* qu'il convoitait, tandis que sa mignonne sœur aînée était contrainte de renoncer au choix qu'elle avait fait d'un volume sur le cirque, publié dans la prestigieuse collection «Spectacle» de Bordas. Mais la mignonne s'en est allée en clamant bien haut qu'elle se plaindrait à son Papou...

Il est vrai que la vitrine de la librairie fait la part belle aux classiques, présentés pour la plupart en édition de luxe – des *Contes de ma mère l'Oye* aux *Contes du chat perché* en passant par les œuvres complètes de la comtesse de Ségur reliées en plein chagrin. Ce qui n'empêche pas qu'un espace restreint mais suffisant soit attribué aux quelques spécimens de la production locale qui ne sacrifient pas au goût du jour, c'est-à-dire à une sorte d'hyperréalisme aussi insipide que réducteur. S'ajoutent à cette bibliothèque idéale quelques romans réservés aux adultes mais susceptibles d'intéresser de jeunes esprits éveillés, surtout les fillettes en quête de modèles féminins. Thérèse et Isabelle, Zazie, Lolita, Claudine : autant d'héroïnes, autant d'aventures à partager... Et cela pour une somme relativement modique, Normand Petit ayant jugé préférable de présenter ces œuvres-là en format de poche plutôt qu'en édition courante. Tout pour séduire la clientèle... Même si elle se contente de bouquiner sans rien acheter.

Si Noémie Pomainville revient aujourd'hui chercher son album sur le cirque, elle recevra en prime le roman de son choix, à moins bien sûr qu'elle ne vienne escortée de son cher Papou. Mais, avec un peu de chance, c'est Sara Racine qui l'accompagnera. Les jours de congé, les deux fillettes s'arrêtent souvent devant la vitrine des Belles-Lettres. Et elles font si bien la paire que Normand Petit ne sait laquelle il préfère...

Sara habite avec sa mère, juste en face de la maison de Dominique Légaré, c'est-à-dire à deux pas de l'endroit où Normand Petit musarde actuellement. Autant l'avouer, c'est pour elle que le libraire fait, chaque matin, un crochet par la ruelle de l'avenue du Parc. Au cours de l'été, il l'a surprise plus d'une fois en train de faire des pirouettes sur le gazon ou de feuilleter les ouvrages de jardinage qu'elle emprunte à la bibliothèque du quartier parce qu'elle n'a pas assez d'argent de poche pour se les procurer en librairie. Du moins est-ce l'explication qu'elle a fournie au propriétaire des Belles-Lettres, qui s'est étonné un jour de ce qu'une fillette aussi friande de lecture se satisfasse d'ouvrages empruntés. En avouant sa gêne financière, le petit rat de bibliothèque semblait mal à l'aise, mais le libraire a eu vite fait de la rassurer en l'encourageant à venir bouquiner aussi souvent qu'elle en aurait envie. Sans aucune obligation de sa part.

Nul n'est mieux à même de comprendre ce genre de situation que Normand Petit. Ne s'est-il pas toute sa vie ou presque contenté de regarder ce qu'il n'osait se permettre de toucher ? Et n'est-il pas encore souvent contraint de se représenter par l'imagination ce qui ne lui est même pas donné d'observer de visu ? N'est-ce pas ce qu'il est en train de faire en ce moment même ? Immobile au milieu de cette ruelle qui ressemble à un désert brûlant, il rêve. Il rêve à ces femmes de tous âges qui se dérobent à son regard : Dominique, Charlotte, Noémie, Sara... Sara, qu'il lui avait pourtant semblé apercevoir en train de virevolter dans les airs alors qu'il débouchait dans la ruelle de l'avenue du Parc... Mais le petit rat se sera volatilisé à son approche.

Peut-être Sara a-t-elle été invitée à dormir chez les Pomainville ? À supposer que Noémie parvienne à convaincre son Papou de lui allonger les quelques billets nécessaires à l'achat de l'album qu'elle convoite, elle entraînera sûrement sa copine aux Belles-Lettres. Si la Benedetti s'en mêle, la petite n'obtiendra rien, mais elle se consolera en faisant du lèche-vitrine avec Sara. D'une manière ou d'une autre, les deux copines finiront bien par s'arrêter devant la vitrine de la librairie. Normand Petit sortira sur le pas de la porte et il les invitera à venir voir les trésors qu'il recèle dans son arrière-boutique. «Pour le seul plaisir des yeux!» comme disent les marchands dans les bazars du Moyen-Orient...

Portrait grandeur nature de Dominique Légaré en train de prendre le petit-déjeuner du samedi sur sa terrasse parasol à rayures blanches et bleues chaises et table de jardin en résine de synthèse nappe de plastique assortie aux couleurs estivales du parasol carafe en verre remplie de jus d'orange corbeille de croissants frais cafetière fumante carrés de sucre roux fleurant le rhum des Antilles beurre demi-sel gâteau de miel parfumé à l'acacia tasse assiette et couverts dépareillés ajoutant au tableau de genre un zeste de désinvolture qu'accentuent encore les accessoires désormais tabous des esclaves du tabagisme paquet de Marlboro Lights briquet rechargeable Zippo cendrier bleu Gauloises plein de mégots tachés de rouge à lèvres tango

car la silhouette féminine qui figure à l'arrière-plan de cette nature morte c'est-à-dire à l'extrémité occidentale de la terrasse s'est résolue après maintes tentatives avortées à sortir de la torpeur qui depuis l'aube la maintenait roulée en boule sous les couvertures de son lit étouffant ses velléités de se traîner à la fenêtre de sa chambre puis une fois le nécessaire mais laborieux passage à l'acte accompli l'y retenant captive un long moment jusqu'à ce qu'elle trouve enfin le courage de faire face au soleil montant de cette éblouissante matinée de septembre non sans s'être d'abord prémunie contre l'astre cancérigène en abritant ses yeux cernés par d'innombrables nuits d'insomnie derrière des lunettes noires et en passant sur ses lèvres gercées par les libations de la veille un bâton hydratant couleur tango.

Portrait tout craché de Dominique Légaré plongeant comme à l'accoutumée son regard dans la ruelle de l'avenue du Parc où règne maintenant l'animation des jours de congé clameur des jumeaux Xanthos s'échangeant la rondelle marmottement de l'aïeule en noir dévidant ses souvenirs fureur de Mireille Racine réclamant à cor et à cri ses créoles en paille silence coupable de l'espiègle Sara épinglant sur la corde à linge le maillot de danseuse qu'elle portait tout à l'heure adios *pathétiques de l'hidalgo basané qui d'ordinaire feuillette à cette heure les journaux du samedi à la bien-aimée aux cheveux filasse agrippée au pan de sa chemise ouverte pleurs de petit Lou s'élevant vers le soleil d'été surplombant le décor de ce théâtre à ciel ouvert où défilent une kyrielle de personnages plus ou moins familiers*

tandis que leur voisine Dominique Légaré épie chacun de leurs gestes tout en gardant elle-même la pose au cas peu probable où le photographe amateur qu'elle aperçoit sur le balcon de l'une des maisons d'en face s'aviserait de lui tirer le portrait au lieu de s'inspirer des modèles réduits qui circulent sous la terrasse où elle prend un petit-déjeuner exquis mais solitaire qu'elle ne dédaignerait point partager avec l'hidalgo dépoitraillé qui empoigne maintenant sa petite valise tournant le dos à sa bien-aimée et se pressant vers le boulevard Saint-Joseph sous les sifflements moqueurs des jumeaux Xanthos auxquels la bien-aimée demeure insensible tant l'absorbe le spectacle de la disparition du fugitif qu'elle suit du regard dans l'attente du moment où il se retournera vers elle quoiqu'il vienne de mettre fin à ces adieux prolongés d'une manière si abrupte qu'elle en est restée déconfite au point de ne pas remarquer la spectaculaire entrée en scène de Mireille Racine crinière rousse flottant au vent robe et boléro gitans qui emboîte le pas au bel hidalgo le dépassant presque dans sa hâte d'échapper à Sara qui l'escorte en bondissant jusqu'au boulevard Saint-Joseph que la comédienne désireuse d'arriver à l'heure à son premier rendez-vous de la journée entreprend de traverser sans regarder ni à gauche ni à droite de sorte que l'homme à la petite valise qui la précède de peu sursaute au coup de klaxon retentissant derrière lui et s'empare du bras de la piétonne dans l'intention galante de la conduire saine et sauve jusqu'à l'autre rive de ce boulevard large comme un bras de mer.

Regard panoramique de Dominique Légaré balayant le paysage citadin et s'arrêtant un instant sur le personnage du photographe amateur qu'elle reconnaît pour l'avoir vu à plusieurs reprises s'introduire sans vergogne dans la vie des habitants du voisinage Sara et sa copine petit Lou et ses parents grand-mère Xanthos et ses petits-fils tour à tour surpris dans les postures les plus diverses par ce chasseur d'images toujours à l'affût de proies faciles telle cette bien-aimée sanglotant dans ses cheveux filasse qu'il mitraille à son insu avant de prendre pour cible Dominique Légaré
Dominique Légaré elle-même qui loin de se dérober à

l'objectif braqué sur son personnage de femme à sa terrasse présente son meilleur profil de manière que l'amateur de clichés soit satisfait du portrait qu'il croira avoir volé à supposer toutefois que la pellicule soit suffisamment impressionnée pour que le révélateur rende visible l'image latente du sujet Dominique Légaré en train de prendre son petit-déjeuner du samedi en tête-à-tête avec son propre personnage lequel momentanément s'exprime à la troisième personne comme si à l'instar des autres modèles du photographe il était doté d'une existence réelle.

Étienne Garneau s'est rendu au bout de son rouleau en moins d'une demi-heure et, n'était sa promesse de téléphoner à Anne-Sophie avant neuf heures, il en aurait déjà entamé un autre, tant la luminosité de ce matin de septembre sollicite son œil de photographe. Si son posemètre ne lui a pas joué de mauvais tour, il ne devrait pas avoir gâché trop de pellicule. C'est ce qu'il découvrira en s'enfermant tout à l'heure dans le réduit mal aéré qui lui tient lieu de chambre noire et que sa mère a consenti à mettre à sa disposition, après qu'il l'eut menacée de quitter la maison pour emménager dans le studio d'Anne-Sophie. Au pis aller, il obtiendra trois ou quatre négatifs assez satisfaisants pour être développés. À condition de n'avoir pas de pépin avec l'agrandisseur d'occasion qu'il s'est procuré la semaine dernière, il devrait en avoir bientôt terminé avec *Fin de saison* – une série de portraits de personnages fréquentant les alentours de l'avenue du Parc.

Pourvu qu'il n'ait pas loupé ses gros plans du visage maternel! Car Françoise Garneau ayant résolu ce matin de flanquer Eduardo à la porte, son fils en a profité pour immortaliser une fois pour toutes un événement qui se répète à intervalles fréquents quoique irréguliers. Mais, de peur de rater la scène des adieux qui s'est déroulée juste au-dessous du balcon familial, Étienne n'a pas pris le temps d'installer son trépied. C'est pourquoi il craint de n'avoir pu s'empêcher de bouger, au moment où il a braqué son télé sur la main de sa mère agrippée au pan de la chemise ouverte d'Eduardo, puis sur son visage défait, émergeant à demi de sa tignasse décolorée.

Pauvre Françoise! Au lieu de monter chercher un peu de réconfort auprès de son fils unique, elle reste figée dans l'attitude mi-querelleuse mi-suppliante où il l'a surprise tout à l'heure. *La Femme rompue* : c'est ainsi qu'Étienne intitulera le portrait de sa mère éplorée, s'il retient la suggestion que lui a faite le libraire des Belles-Lettres d'emprunter à la littérature les titres de chacune des photos de sa série.

De toute évidence, Françoise regrette déjà son geste. Avec elle, c'est toujours la même histoire... À peine s'est-elle débarrassée de l'indésirable qu'elle se met à espérer son retour, lequel survient d'ordinaire au bout d'une période variant de quelques heures à quelques semaines. Mais à en juger par son incapacité actuelle à se ressaisir, elle semble croire l'hidalgo parti pour de bon. Peut-être l'a-t-elle vu se précipiter au-devant de Mireille Racine, la comédienne d'à côté qu'un automobiliste a failli renverser, il y a un instant? La scène n'a duré que quelques secondes, et il s'en est fallu de peu qu'Étienne ne la rate. Sans doute ferait-il mieux de ne pas exposer sa pellicule au regard de sa mère, quitte à lui interdire formellement l'accès à la chambre noire où elle se permet de venir fouiner à l'occasion, invoquant entre autres prétextes l'entretien des lieux de même que les préoccupations légitimes d'une mère (célibataire) en ce qui a trait à la carrière débutante de son fils (unique). De temps à autre, Étienne satisfait sa curiosité, quoiqu'il ne lui ait encore rien montré de *Fin de saison,* dont son visage de femme défaite pourrait bien devenir l'image emblématique. Comment Françoise réagira-t-elle en constatant qu'elle aura servi de modèle à son insu? Compte tenu de son penchant à moraliser, elle assimilera sans doute au vol, sinon au viol, un procédé dont nul autre qu'elle n'aurait l'idée de se formaliser.

Chose certaine, la scène photographiée tout à l'heure n'améliorera pas ses relations avec Mireille Racine. Bien que sensible à sa condition de « monoparentale », Françoise n'a guère de sympathie pour sa voisine qu'elle estime n'être qu'une cabotine, tout juste bonne à figurer dans de mauvaises pubs et incapable d'éveiller chez sa fillette de onze ans d'autres intérêts que les siens : fringues, maquillage et consommation effrénée de gadgets en tous genres. Ce puritanisme simpliste est caractéristique de l'esprit maternel, apparemment ouvert mais facilement enclin à condamner ce qu'inconsciemment il envie.

Pauvre Françoise! Si elle n'avait conservé d'une adolescence soixante-huitarde la peur atavique d'avoir l'air « poupoune » ou, pis encore! « madame », au point de se refuser encore aujourd'hui à porter du rouge à lèvres, des bas de soie ou le foulard Hermès qu'Anne-Sophie lui a offert pour Noël, elle se sentirait sans doute moins menacée par les jolies femmes du voisinage.

Françoise Garneau est jalouse, elle-même le reconnaît, ce qui étonne de la part d'une femme de sa génération. Jusqu'à l'intrusion du viril Eduardo dans sa vie de mère célibataire, elle s'est complu à ridiculiser ce sentiment aliénant. Mais voilà qu'après avoir bassiné son fils des années durant avec ses scies de femme libérée, elle en est rendue à soupçonner l'espèce féminine tout entière de vouloir lui chiper son macho chéri. Peut-être n'a-t-elle pas tout à fait tort en ce qui concerne sa voisine comédienne, quoique l'expérience ait démontré le caractère inoffensif du manège racinien – la comédienne papillonnant autour de tous les hommes du quartier, y compris autour du fils Garneau, sans toutefois se résoudre à jeter son dévolu sur aucun. Étienne, qui a bien assez comme ça d'une seule mais oh combien! envahissante Anne-Sophie, ne s'en plaint pas. Alors qu'il n'aspire qu'à s'isoler dans sa chambre noire, il lui faudra aujourd'hui encore se soumettre aux exigences de cette empêcheuse de développer en rond : coup de fil à neuf heures, visite éclair mais obligatoire chez Virilis à l'heure du lunch, soirée chez des amis, tête-à-tête amoureux se prolongeant jusqu'aux petites heures du matin. Bref, un autre samedi de fichu, à moins que le fils ne prenne exemple sur la mère en larguant momentanément sa copine. Mais il serait peu probable que l'irascible Anne-Sophie passe l'éponge aussi facilement qu'Eduardo ne le fait ordinairement.

À cette heure, elle doit déjà être d'humeur massacrante, à supposer bien sûr qu'elle ne se soit pas rendormie tout de suite après la sonnerie du réveil. C'est sans enthousiasme qu'Anne-Sophie se rend chaque matin fourguer des fringues griffées à l'élite masculine des *baby-boomers*. Si Étienne ne lui passe pas le coup de fil promis illico, elle se fera engueuler par le propriétaire de la boutique, ce qui la mettra en rogne pour le reste de la journée.

Françoise s'est assise sur la dernière marche de l'escalier. La tête entre les mains, elle fourrage dans sa tignasse en se balançant d'arrière en avant. Dès qu'il aura passé son coup de fil à Anne-Sophie, Étienne fera du café, puis il l'obligera à en prendre une tasse. Ensuite, il ressortira avec son appareil. Peut-être l'énigmatique locataire du troisième étage de la maison d'en face, qui vient tout juste de s'approcher de la balustrade de sa terrasse, gardera-t-elle la pose jusque-là? S'agrippant d'une main au treillis de bois, elle fixe l'asphalte de la ruelle, comme si elle avait l'intention de se précipiter par-dessus bord. Françoise, qui ne supporte pas ses airs de créature éthérée, dirait qu'elle fait l'intéressante, mais Étienne la soupçonne plutôt d'observer ses voisins à la dérobée. «La Voyeuse»: c'est le nom qu'il donnera à cet insaisissable personnage, si seulement il parvient enfin à capter son image. Car, par quelque inexplicable phénomène optique, toutes les épreuves qu'il en a tirées jusqu'à maintenant se sont révélées trop floues pour être retouchées, si bien qu'il s'est vu forcé de modifier son projet initial – une alternance de gros plans du visage hiératique de la Voyeuse et de portraits d'autres personnages s'affairant sous son regard indiscret. Au lieu de *Fin de saison*, il aurait intitulé sa série *L'Envie*, suggérant par là qu'à force de fantasmer sur l'existence de ses voisins, la Voyeuse en est venue à dépriser la sienne au point d'être tentée d'y renoncer. Sans doute est-ce là pure affabulation de la part d'un photographe qu'intrigue l'extraordinaire apathie de son modèle? À sa manière, Étienne est un voyeur, lui aussi, mais son art l'immunise contre la morosité qu'engendre l'observation passive de ses semblables. Quand il aura fait le tour de son univers familier, il élargira ses horizons. Il se mettra en quête d'autres paysages. *Fin de saison* sera le passeport qui lui ouvrira le monde.

Car la première exposition solo d'Étienne Garneau fera un malheur. Quant à la suivante, elle sera consacrée à Anne-Sophie. Étienne abordera le nu, un art difficile qu'avec la complicité de son modèle il se fait fort de renouveler. Anne-Sophie est très photogénique. Elle l'est même un peu trop, surtout quand elle fait la gueule. Les quelques essais déjà réalisés ont l'air de sortir tout droit d'un album de David Hamilton. Mais Étienne révélera la vraie nature d'Anne-Sophie, celle qui se cache derrière ses mines de petite vendeuse bougonne. Pour cela, il est prêt à faire toutes les concessions qu'il faudra. Emménager chez elle par exemple, à condition de barricader l'unique fenêtre de son studio. Ce sera la vie d'artiste avec tout ce que cela comporte de clichés misérabilistes, mais le photographe aura sa muse à portée de la main. Sa seconde série sera bouclée en un rien de temps. Ensuite, il prendra le large. Seul. Anne-Sophie cessera de pointer à heure fixe chez Virilis. Elle trouvera bien à s'occuper autrement. Elle pourrait ouvrir une galerie par exemple. Une galerie spécialisée, où elle recevrait les amateurs de photographie d'art sur rendez-vous.

Mais Étienne ferait mieux de se remettre au travail au lieu de rêvasser. D'ailleurs, il nage dans la confusion. Il y a un instant, il craignait qu'Anne-Sophie ne vienne foutre en l'air son samedi, et voilà qu'il se surprend la seconde d'après à vouloir en faire son égérie. Apparemment, il n'aboutira à rien qui vaille, ce matin.

La journée avait bien commencé pourtant. Jamais Étienne ne s'était senti autant d'attaque. Mais la chaleur grandissante aura sapé son énergie. À moins qu'il ne soit tombé sous le charme du regard hypnotique de la Voyeuse? Ou que la déconfiture maternelle n'ait peu à peu déteint sur son humeur? Pauvre Françoise! Depuis qu'elle s'est effondrée sur sa marche d'escalier, elle n'a pas esquissé le plus petit mouvement. Peut-être s'interroge-t-elle, elle aussi, sur ce qu'il lui reste d'avenir? Si elle levait un moment la tête vers le ciel, sans doute entreverrait-elle par-delà les nuages qui s'amoncellent au nord-est du boulevard Saint-Joseph le signe avant-coureur de la fin de cette saison interminable?

L'HEURE CREUSE

Il y a de l'orage dans l'air depuis que j'ai regagné mon perchoir d'où je contemple le ciel qui s'ennuage tandis que je me remémore par le menu les faits et gestes de cette flopée de personnages aperçus coudoyés rencontrés au cours de cette journée particulière de la mi-septembre qui clora la saison non sans que j'aie une ultime fois traîné mes savates au-dehors avant de les mettre au rancart pour l'hiver si tant est que la canicule persiste jusqu'à ce soir en dépit des pronostics alarmants de Normand Petit mon ex-camarade d'université que la chaleur incommode au point de lui faire perdre la raison

«Ah! mais c'est Dominique Légaré venue en personne faire la belle devant son ex-tout-court!» s'est-il bouffonnement exclamé alors qu'il émergeait gras et suant de l'arrière-boutique des Belles-Lettres où j'avais fait un saut au sortir du salon de coiffure mue par je ne sais quelle pulsion insensée d'entendre délirer plus fou que moi

«En vérité je te le dis Dominique Légaré un vent de tous les diables se lèvera avant la fin du jour et c'en sera fait de la belle saison de même que de ces accroche-cœurs éphémères qui s'ils n'empestaient la laque feraient encore illusion...» a-t-il poursuivi du même souffle tandis que je m'efforçais en vain de l'interrompre

« Oh ! rien ne sert de secouer furieusement les bouclettes qui auréolent ta tête de linotte ou d'écarquiller tes yeux de biche comme ces petites friponnes qui s'agglutinent devant ma vitrine en riant sous cape des excentricités vestimentaires du prince des Belles-Lettres à qui elles obéiraient les yeux fermés si papa maman et la maîtresse ne leur avaient farci la cervelle de sornettes... mais en vérité je te le dis Dominique Légaré avant la fin du jour le tonnerre aura grondé les petites filles modèles erreront dans les ruelles à la recherche d'un abri et l'infante ruisselante qui pénétrera à ma suite dans l'arrière-boutique aménagée spécialement à son intention s'empiffrera de sucettes de toutes les couleurs pendant que son prince épongera son corps menu... celle-là m'appartiendra pieds et poings liés et tout au long de l'interminable hiver qui succédera à cet été trop long je lui ferai lecture de mille et un contes fabuleux qui raviront son cœur d'infante si bien qu'en vérité je te le dis Dominique Légaré tu envieras son sort et le mien... »

Méfiez-vous petites Sara et Noémie qui rôdiez tout à l'heure aux abords des Belles-Lettres car le temps est à l'orage et avant la fin du jour certain libraire de ma connaissance aura frappé à moins que ma mémoire ne trahisse et la lettre et l'esprit de ce discours insane déclamé sur un ton si frénétique que moi-même Dominique Légaré qui pourtant en ai entendu d'autres au cours d'années de fréquentations sporadiques j'en suis restée tourneboulée au point d'être incapable d'endiguer ce flot de paroles extravagantes jaillissant de la bouche béante de ce verbomaniaque saucissonné dans ses habits étriqués

« Où diable Normand Petit mon ex-camarade d'université qui pour autant que je sache n'a jamais fait assaut de coquetterie a-t-il bien pu dénicher cet accoutrement singulier ?» ai-je tout de même fini par laisser tomber dans l'espoir de créer une diversion

« C'est la petite Charlotte qui m'habille... » a-t-il commencé en se trémoussant dans son pantalon de lin tout chiffonné et sa chemisette en tissu synthétique orlon nylon dacron imprimé de chromos du Moyen-Âge avant d'être interrompu par l'arrivée d'un client

« Ah ! voilà notre magicien de la pellicule qui nous fait l'honneur d'une petite visite... Monsieur Garneau si j'ai bonne mémoire... j'ai quelque chose pour vous jeune homme un album de l'illustre photographe écossais Oscar Marzaroli qui a consacré les vingt-cinq dernières années de sa vie à enregistrer sur pellicule l'évolution de la ville de Glasgow... vous l'ignoriez je parie vous verrez c'est un travail remarquable qui rend compte d'un quart de siècle de développement urbain... je vous offre le bouquin à prix d'ami non ne protestez pas que voulez-vous c'est plus fort que moi j'ai de la sympathie pour les jeunes loups tels que vous... ne bougez pas je cours le chercher dans mon arrière-boutique pendant que vous ferez meilleure connaissance avec mon ex à moins que ce ne soit déjà fait puisque vous êtes voisins si je ne m'abuse... non ?... eh bien en ce cas il faut remédier à cela mon jeune ami j'ai l'intuition que ce drôle de personnage vous inspirera d'excellents clichés... ne vous laissez pas berner par les apparences Dominique Légaré correctrice émérite chez Bégin est d'un abord bien plus facile qu'il n'y paraît... »

Étienne Garneau a fait mine d'applaudir le numéro du bouffon des Belles-Lettres je l'ai imité et nous avons profité de l'entracte pour vider les lieux grâce à Normand Petit qui nous avait épargné les préambules d'usage nous *sommes entrés dans le vif du sujet aussitôt le seuil de la porte franchi si bien qu'après que chacun eut reconnu s'être fréquemment interrogé sur l'identité de l'autre nous avons convenu de poursuivre notre entretien dans un café de l'avenue du Parc où la bière et l'atmosphère aidant nous avons échangé quelques demi-confidences.*

Comme il n'y avait pas grand-chose à dire à mon sujet j'ai préféré laisser la parole à mon interlocuteur lequel ne demandait pas mieux que de me faire partager ses craintes de n'être pas à la hauteur de ses ambitions de photographe j'avais un peu de mal à croire à ce personnage d'artiste torturé qu'il interprétait avec une assurance telle qu'elle démentait l'apparente modestie d'un discours destiné au fond à m'en jeter plein la vue

« C'est le doute qui me tue ce doute perpétuel qui accomplit son travail de sape tu comprends... autrement dit c'est bonjour l'angoisse chaque fois que j'ai à faire un choix qu'il s'agisse d'un sujet d'un angle d'un cadrage... mais on s'y fait surtout quand on s'aperçoit qu'on n'a pas vraiment le choix tu comprends le choix de continuer ou pas je veux dire... je mets le monde en images parce que c'est encore ce que je réussis le mieux même si le résultat est toujours bien en deçà de mes espérances... enfin tu jugeras par toi-même quand tu verras mon exposition dans quelques mois... Fin de saison *c'est le titre que j'ai donné à cette série que j'ai presque terminée mais j'ai déjà un autre projet en vue histoire de prendre mes distances tu comprends... c'est ma manière à moi d'assurer mes arrières avant de sauter dans l'arène... j'ai décidé d'élargir ma palette en abordant le nu quoique j'hésite faute de modèle*

assez... oh! j'ai bien deux ou trois copines qui ne demanderaient pas mieux que de poser pour moi mais aucune ne possède ce... comment dire?... cette souplesse que je recherche tu comprends... j'aimerais bien faire un livre aussi mais pas n'importe quel bouquin un livre d'art quelque chose de soigné tu vois un album grand format qui réunirait une vingtaine de photos sur un thème quelconque l'envie par exemple... tu comprends ce que j'entends par là?... ce regard mi-admiratif mi-hostile que chacun pose sur son voisin... quelqu'un rédigerait les textes un écrivain connu si possible mais je n'en connais aucun toi qui fréquentes le milieu tu pourrais peut-être m'en présenter quelques-uns à moins que tu ne te laisses toi-même tenter par l'expérience ce serait chouette de travailler ensemble tu ne crois pas?... tu ne dois pas te débrouiller si mal après tout à force de torcher les histoires des autres on finit par se faire la main non?... tu imagines un album signé Étienne Garneau et Dominique Légaré exposé à la devanture des Belles-Lettres c'est ce raseur de Normand Petit qui en prendrait pour son rhume... fais pas cette tête-là je suis sûr que ça te fait envie au fond c'est l'occasion ou jamais de te jeter à l'eau y a que le premier plongeon qui coûte tu verras ensuite ça ne va pas tout seul au contraire on devient de plus en plus conscient de ses faiblesses mais c'est parti tu comprends on surnage et même si on coule à pic ça vaut mieux que de rester sur le quai toute sa vie non?...»

Ouf!... Je «comprenais» bien sûr mais je n'avais que faire des conseils de ce garçon qui débitait des lieux communs avec un enthousiasme que je lui enviais j'avais gaspillé une partie de mes vacances d'été à gribouiller des *histoires informes sans en tirer la moindre satisfaction cet exercice laborieux n'avait modifié en rien mon statut de non-personnage et je n'avais nullement l'intention de m'atteler de nouveau à la besogne malgré l'attrait que suscitait dans mon esprit mal tourné ce thème de l'envie qui me rappelait l'un des bons mots de ce plaisantin de docteur Prével*

« Vous avez dit envie ou en vie ?... »

je comprenais aussi ce que cette proposition d'album avait d'opportuniste ça n'était pas la première fois qu'on courtisait la correctrice de la maison Bégin pourtant j'étais séduite par le bagout de ce photographe qui s'adressait à mon image

Dominique Légaré conservait la pose adoptée ce matin de sorte que ce tête-à-tête arrangé par un libraire halluciné devenait le prolongement naturel de la séance improvisée à l'heure du petit-déjeuner j'avais remis un peu de ce rouge à lèvres tango et mes accroche-cœurs tenaient le coup en dépit de la chaleur qui régnait à l'intérieur de l'établissement dont la porte s'ouvrait sur une petite cour inondée de soleil où Sara l'elfe bondissant de la ruelle de l'avenue du Parc et sa copine étaient attablées devant des verres de thé glacé qu'elles sirotaient en devisant comme des dames qui s'accordent un moment de répit au terme d'un après-midi consacré à faire des courses et pendant qu'Étienne continuait de m'entretenir des aléas de la vie d'artiste j'entendais les petites filles se chamailler à propos de leurs emplettes

« Mais non Noémie ce feutre-là c'est le mien le tien c'est le violet à pointe fine... et ça c'est le petit sac de truffes

pour le dessert il faut pas l'ouvrir tout de suite... maman va avoir une de ces surprises en rentrant du théâtre... tu diras "Madame est servie" et moi je déboucherai la bouteille de champagne que tu as piquée dans la cave de ton Papou chéri... j'espère que c'est du vrai au moins... mais oui je sais le faire c'est facile y a même pas besoin de tire-bouchon... non t'es méchante moi je suis sûre qu'elle a réussi et puis si elle a raté c'est pas grave elle en passera d'autres des auditions on fera la fête quand même ça la consolera... » s'emportait Sara dont la voix flûtée traversait la salle

j'avais remarqué que tout en papotant elles jetaient de fréquents coups d'œil sur la table voisine qu'occupait une jeune fille solitaire que j'avais saluée d'un petit signe de tête auquel elle avait répondu par un sourire un peu contraint c'était Cecilia l'énigmatique shampooineuse du salon Clip j'avais reconnu son profil racé encadré de cheveux crépus et ses longues mains brunes qui pour l'heure tournaient les pages d'un magazine que le garçon lui avait apporté en même temps qu'un sorbet aux fruits de la passion

Noémie s'était mise à se tortiller sur sa chaise quand ce Jérôme qu'elle appelait à tout bout de champ par son prénom avait éponge de longues minutes durant l'eau de la carafe qu'il avait renversée par mégarde ou par exprès sur la table de Cecilia

« Nous aussi on voudrait des sorbets s'il te plaît Jérôme... » avait minaudé la petite fille en l'interceptant au passage et Sara avait pouffé dans ses mains quand le garçon avait annoncé à la cantonade

« Deux sorbets passion deux pour les demoiselles de la 9... »

mais Noémie l'avait fait taire en lui décochant un coup

113

de pied dans le tibia Sara n'avait pas protesté elle aussi paraissait captivée par l'intrigue qui s'amorçait entre Cecilia et le garçon et n'eût été le volubile Étienne qui n'avait pas fini de m'exposer ses idées sur la photographie je me serais laissé prendre moi aussi à ce manège amoureux qu'à l'instar des fillettes je dévorais des yeux.

Étienne avait suivi mon regard et il examinait Cecilia un personnage qu'il aurait volontiers inclus dans sa série de portraits s'il n'avait été assez idiot pour sortir sans son appareil je le laissais dire en songeant à l'incident survenu ce matin au salon Clip une histoire assez nébuleuse qu'Emmanuel avait entrepris de me raconter durant la séance de chiffonnage qui avait duré plus d'une heure en dépit du retard qu'il n'avait cessé d'accumuler depuis la disparition de Cecilia car Cecilia avait disparu au milieu de la matinée elle avait quitté le boulot sans s'expliquer

« Un samedi par-dessus le marché... » soulignait Emmanuel qui faisait l'éloge de sa shampooineuse une fille « pas très causante mais appréciée de la clientèle... » et qui en six mois de service n'avait jamais dit un mot plus haut que l'autre

nul n'aurait pu s'attendre à ce qu'elle se mette à invectiver en espagnol une nouvelle cliente aux cheveux blond cendré qui lui répondait dans la même langue en cherchant ses mots jusqu'à ce que la jeune fille coupe court à la conversation en envoyant valser une étagère pleine de bouteilles de shampooing dans l'évier avant de sortir en claquant la porte sous prétexte d'aller prendre l'air pour se calmer

mais Cecilia n'était pas revenue de sorte que moi

Dominique Légaré qui au sortir des funérailles d'Honoré Bégin avais grand besoin d'abandonner ma tête encore bourdonnante entre les mains brunes de ma shampooineuse préférée j'avais été contrainte de la confier à un certain Frédéric qui m'avait lavé les cheveux en quatrième vitesse comme s'il n'avait eu rien de plus pressé que de me laisser sécher sur une chaise dans l'attente de mon tour qui n'était venu qu'au bout d'une interminable demi-heure au cours de laquelle je n'avais eu d'autres distractions que l'écoute forcée du blabla branché d'Anne-Marie Benedetti qu'accompagnait un petit garçon aux cheveux d'ange coiffé d'un walkman que je lui aurais volontiers emprunté tant ce bouillon de culture mal digérée me chauffait les oreilles

mon tour enfin venu et assise face au miroir qui me renvoyait l'image mobile d'Emmanuel s'adressant à mon reflet j'écoutais le coiffeur raconter l'histoire de Cecilia le pauvre avait l'air éreinté par cette demi-journée de travail mouvementée il n'en continuait pas moins pourtant de froisser méticuleusement chacune de mes mèches entre ses doigts tout en poursuivant son récit que j'écoutais avec d'autant plus d'intérêt que le personnage de Cecilia m'a toujours intriguée

mais un certain Jimmy avait fait irruption dans la pièce interrompant Emmanuel qui s'apprêtait à faire un retour en arrière sur un épisode de la vie de son héroïne dont il avait vaille que vaille reconstitué la biographie en s'inspirant des excuses embarrassées de cette cliente aux cheveux blond cendré et baragouinant l'espagnol que Cecilia avait présentée comme une lointaine parente alors qu'elle s'était au bout du compte révélée être sa mère adoptive révélation sur laquelle le narrateur n'avait pas eu le temps d'épiloguer et qui semblait avoir été à l'origine des événements du matin mais Emmanuel avait changé de sujet après le départ de Jimmy dont la visite éclair paraissait l'avoir affecté encore davantage que la désertion de Cecilia

il s'était mis à parler santé celle de son visiteur l'inquiétait la sienne n'était pas fameuse non plus quant à la mienne il n'y avait rien à en dire alors il m'a demandé des nouvelles d'Ariane Cousineau ma voisine d'en dessous je lui ai annoncé la naissance de petit Lou et il m'a filé « à tout hasard... » le nom et le numéro de téléphone d'une baby-sitter dont Jimmy venait justement de lui vanter les mérites

« A good girl who needs cash fast her name is *Manon je la connais bien* she lives next door... » *avait répété Emmanuel en utilisant le jargon franglais de son ami que j'imitais à mon tour en instruisant Étienne du peu que je savais de l'histoire de Cecilia.*

Cecilia m'avait servi de prétexte pour détourner l'attention du photographe qui zieutait d'un peu trop près mon non-personnage mais voilà qu'il revenait maintenant à la charge en m'interpellant directement

« Et si vous me parliez un peu de vous Dominique Légaré... » *la formule prêtait à sourire sans plus...*

« Tu ne réponds pas ?... » *poursuivait-il en s'empressant de le faire à ma place*

« C'est mieux comme ça le flou te va si bien... Françoise dit que tu es une simulatrice elle le dit avec une pointe d'envie dans la voix mais elle ne s'en rend pas compte tellement elle est dupe de ses propres slogans moraux l'Au-*

thenticité l'Écoute de Soi la Transparence tu vois le topo c'est l'actuel credo maternel qui fera long feu comme les précédents ma mère est une femme de foi tu comprends... quand elle te voit accoudée à la rambarde de ton balcon et affublée de tes verres fumés telle une star nonchalante qui s'exhibe aux regards de ses voisins elle ne peut s'empêcher d'exprimer son mépris... Françoise Garneau ne supporte pas la passivité surtout quand elle est le fait d'une jolie femme... moi par contre ça me plaît assez cette façon que tu as de regarder le monde de haut comme s'il avait été créé pour ton seul divertissement... »

tandis qu'Étienne esquissait le portrait psychologique de Dominique Légaré telle que perçue par cette mère si terriblement « correcte » je revoyais le visage défait de la pleureuse aux cheveux filasse effondrée sur une marche d'escalier cette Françoise-là ne ressemblait guère à la féministe intégriste que me décrivait Étienne et pourtant il s'agissait bien du même personnage du moins était-ce ce que j'avais déduit des confidences de mon interlocuteur qui m'avait avoué s'être le matin même inspiré de la déconfiture maternelle pour ajouter quelques nouveaux clichés à cette série de portraits d'habitants des environs de l'avenue du Parc dont il espérait tant.

J'aurais volontiers relancé Étienne au sujet du couple mal assorti que formaient ce matin sa mère et l'hidalgo de ruelle cet Eduardo qui occupe l'appartement de Françoise Garneau et de son fils depuis quelques mois et qui à l'heure du petit-déjeuner avait traversé le boulevard Saint-Joseph au bras d'une comédienne de ma connaissance mais le temps passait et j'avais d'autres chats à fouetter...

Ariane Cousineau ma voisine d'en dessous m'avait demandé de passer chez elle en rentrant j'ignorais pourquoi mais j'en profiterais pour jeter un coup d'œil sur sa garde-robe ce qui m'épargnerait de farfouiller inutilement dans la mienne laquelle ne contenait que du déjà vu

Dominique Légaré avait besoin d'une tenue de femme de rêve pour figurer à cette soirée à l'hôtel Plaza à laquelle elle n'avait décidé de se rendre qu'après d'exténuantes délibérations avec elle-même qui s'étaient soldées par l'impulsion déraisonnable d'échapper momentanément à son non-personnage en s'affichant en compagnie de quelque garçon charmant puisque ce faux jeton de Philippe Ravary avait apparemment commis une étourderie en l'invitant ainsi que la mère Aimée l'avait grossièrement laissé entendre à l'issue de la cérémonie funèbre dédiée à la mémoire du regretté fondateur des éditions Bégin

j'avais pensé un moment emprunter l'Alain d'Ariane Cousineau en même temps que la robe de fête destinée à dissimuler mon inexistence ou faire appel à l'un ou l'autre de mes ex-tout-court à l'exclusion bien sûr de Normand Petit le libraire logorrhéique mais le sort avait mis sur mon chemin ce garçon charmant qui me tendait ingénument la perche en m'offrant un autre verre

«Non merci je suis déjà en retard... Dominique Légaré est de sortie ce soir... elle est attendue à l'hôtel Plaza où se tient une petite réception... oh! rien de très excitant mais si ça te dit viens faire un tour tu seras mon invité... il y aura du monde... si tu veux je te présenterai à des gens qui pourraient t'être utiles on ne sait jamais... je pense à ce projet d'album entre autres... non! je préfère qu'on se retrouve là-bas c'est plus simple comme ça... surtout si tu changes d'avis en cours de route...»

J'avais des ailes en quittant La Cage où Étienne demeurait le seul client à l'exception de Cecilia qui s'était glissée derrière le comptoir à côté du serveur que les petites filles avaient gratifié d'un sonore « À plus tard Jérôme !...» plein de sous-entendus ricaneurs avant de s'envoler lestées de leurs paquets en direction des Belles-Lettres la petite Sara avait l'air très excité et sa copine Noémie encore plus

elles couraient vers la ruelle de l'avenue du Parc et j'allais leur emboîter le pas quand je me suis heurtée à Mireille Racine qui ne paraissait nullement pressée de rentrer chez elle

« Cette fois-ci c'est dans la poche Dominique... le metteur en scène a craqué dès qu'il a vu la tête de sorcière qu'Emmanuel m'a faite... j'aurais pu me contenter d'une perruque comme les autres candidates mais j'ai décidé de jouer le jeu jusqu'au bout tu vois le résultat... la boule à zéro enfin presque... Emmanuel a laissé intactes quelques mèches qui pointent par-ci par-là comme si les bourreaux n'avaient pas eu le temps de terminer leur travail... ça ne me va pas si mal tu n'es pas d'accord?... en tout cas c'est ce que le metteur en scène m'a dit... d'ailleurs il m'invite à dîner ce soir pour qu'on discute de mon rôle... j'ai rendez-vous à huit heures je prendrais bien un verre en attendant tu viens avec moi je t'invite on va fêter ça?...» m'a-t-elle proposé les yeux brillants j'ai décliné l'invitation puis j'ai continué mon chemin d'un pas plus léger je n'ignorais pas que cet état de grâce mimétique serait de courte durée et qu'il ferait bien vite place au sentiment d'irréalité qui m'est familier...

Dominique Légaré ne serait jamais une comédienne

aussi douée que Mireille Racine et le personnage public qu'elle s'était tant bien que mal composé au cours de cette journée du samedi lui échappait déjà si bien qu'au fur et à mesure qu'elle se rapprochait de son aire naturelle elle redevenait la proie de cette espèce de langueur pernicieuse qui voilà des mois s'était emparée d'elle suçant peu à peu jusqu'à la plus infime parcelle de son âme...

Cette heure creuse qui sépare le jour de la nuit est un moment difficile à passer surtout quand elle se remplit des menus événements de la journée et à observer ce ciel lourd qui stagne au-dessus de la ruelle de l'avenue du Parc et menace à tout instant de tomber sur la tête de ses habitants il me prend l'envie d'enfouir la mienne sous une avalanche de couvertures jusqu'à la venue de l'hiver qui m'emprisonnera une éternité durant dans sa camisole de force à moins que d'ici là ce brave docteur Prével ne me prescrive quelque potion reviviscente qu'il aura ramenée de son voyage aux États-Unis

je ne sais quel ersatz de moi-même s'est cru tout à l'heure suffisamment en train pour s'imaginer capable de donner la réplique une soirée entière à ce jeune photographe plein d'allant sans doute déjà en route vers l'hôtel Plaza portfolio sous le bras et appareil photo en bandoulière tandis que je renâcle à endosser ne serait-ce que quelques heures encore la défroque usagée de ce personnage de carton-pâte qui s'est escrimé tout le jour à tenir le rôle de Dominique Légaré

une veinarde celle-là quoi qu'elle en dise voyez elle peut boire à l'excès faire la foire ou regarder la télé jusqu'aux petites heures du matin qu'importe! puisqu'elle peut tout aussi bien dormir jusqu'à midi le lendemain passer le reste de la journée à sa fenêtre ou aller au théâtre au restaurant au diable vauvert si le cœur lui en dit elle peut partir sans laisser d'adresse ou se faire la malle pour de bon une veinarde vous dis-je une chançarde qui boude sa chance la preuve en est s'il en faut une qu'Ariane Cousineau elle-même échangerait volontiers sa place contre la sienne

« Certains jours du moins... » c'est ce que mon aimable voisine d'en dessous s'est donné la peine de préciser tout à l'heure alors qu'elle m'aidait à enfiler un fourreau de soie noir l'une de ces robes de femme de rêve qu'elle porte quand elle se produit sur les plus grandes scènes du monde et qu'elle a offert de me prêter après s'être informée de mes projets pour ce samedi soir

« Elle te va beaucoup mieux qu'à moi... » s'est-elle exclamée avant de rabrouer Alain qui s'enquérait de l'heure à laquelle je prévoyais être de retour chez moi

« Dominique est invitée à une soirée mon amour pas à un cinq à sept à l'heure où elle rentrera les restaurants seront fermés depuis longtemps... de toute façon il va y avoir de l'orage ça se sent un orage terrible j'en ai peur... aussi bien rester à la maison au cas où le tonnerre effraie-rait petit Lou ça n'est que partie remise mon amour... »

jamais je n'avais entendu Ariane s'exprimer sur ce ton grinçant ses « mon amour » emphatiques avaient quelque chose de forcé elle semblait à bout et Alain aussi j'allais leur proposer de garder petit Lou demain ou n'importe quel autre jour de la semaine prochaine quand je me suis rappelé le nom de la copine du copain d'Emmanuel j'ai cherché dans mon sac le paquet de Marlboro Lights sur lequel j'avais noté ses coordonnées puis je l'ai tendu à Ariane qui à ma stupéfaction s'est allumé une cigarette

«*Manon!... d'où peut-elle bien sortir avec un prénom pareil?... tu crois que petit Lou se satisfera d'une Manon mon amour...*» *a-t-elle commenté d'une voix étranglée par la fumée*

«*Tu peux lui faire confiance j'imagine j'ai eu son nom par un ami d'Emmanuel... à propos j'allais oublier on se demande ce que tu deviens là-bas...*» *ai-je rétorqué un peu vexée*

à ce moment-là petit Lou s'est mis à hurler Ariane m'a refilé sa cigarette après avoir cherché en vain un cendrier où l'éteindre puis elle s'est dirigée vers la chambre du bébé en ébouriffant ses cheveux Alain l'a suivie en bredouillant je ne sais quoi au sujet de tétées ou de coliques Boule Noire s'est précipité ventre à terre vers la porte d'entrée restée entrouverte et j'ai détalé à sa suite de peur que ma présence n'alourdisse l'atmosphère déjà surchauffée.

En remontant chez moi j'avais le sentiment d'avoir commis une faute dont j'ignorais autant la nature que la portée j'étais mal à mon aise dans ma robe d'emprunt les pleurs exaspérés de petit Lou me parvenaient de l'étage au-dessous peut-être n'était-il pas trop tard pour revenir en arrière il suffisait de passer un coup de fil à Étienne Garneau et le tour serait joué papa et maman Lou s'en iraient au restaurant avec l'assurance d'avoir laissé leur petit trésor entre bonnes mains ils dîneraient en amoureux pendant que je fredonnerais une berceuse en imitant de mon mieux la voix d'Ariane et cet orageux samedi de la mi-septembre s'achèverait sans la participation de Dominique Légaré déjà épuisée pour avoir frayé toute une journée avec cette ribambelle de personnages survoltés.

« Mon fils est parti sans me dire où il allait ni à quelle heure il rentrerait... peut-être en apprendrez-vous davantage en téléphonant chez Anne-Sophie ?... en ce qui me concerne il y a longtemps que j'ai cessé de m'inquiéter de ses allées et venues...» m'a répondu sèchement Françoise Garneau

aussi ai-je préféré ne pas insister malgré mon désir momentané d'en savoir plus au sujet de cette Anne-Sophie dont Étienne n'avait pas une seule fois mentionné le nom au cours de la conversation ce beau parleur ne tiendrait pas parole j'en avais soudain la certitude j'avais scrupule à lui faire faux bond mais lui n'hésiterait pas un instant à me laisser choir d'autant plus que c'est ce que je lui avais en quelque sorte suggéré en lui donnant rendez-vous à l'hôtel plutôt que chez moi j'avais agi comme une buse en invitant le premier venu à m'accompagner à cette soirée où je savais n'être pas la bienvenue.

« Peut-être vous étiez-vous pour une fois départie de vos réflexes conditionnés de "non-personnage" si tant est que je ne fasse pas mauvais usage de ce néologisme qui vous est propre !...» commenterait doctement ce brave docteur Prével si je lui relatais l'essentiel de cette journée dont je ne sais encore de quelle manière elle se terminera

« Dites-moi ce que vous ressentez quand vous vous remémorez cette scène des funérailles à laquelle vous avez fait si brièvement allusion tout à l'heure...» poursuivrait-il en ravivant le souvenir de ma patronne Aimée m'apostrophant à l'issue de la cérémonie funèbre

« À propos ma petite Dominique j'assisterai moi-même à cette soirée dansante à laquelle Philippe Ravary avait

pris l'initiative de vous convier je n'ai guère le cœur à de telles festivités vous l'imaginerez sans peine mais un président doit s'acquitter en toute circonstance des devoirs de sa charge c'est ce que notre cher disparu avait coutume de rappeler à son entourage... vous êtes donc libre de disposer à votre guise de votre samedi puisque je représenterai moi-même la maison... Philippe et moi serions bien sûr ravis de vous avoir en notre compagnie mais je crois savoir que vous n'aimez guère les mondanités...»

«Vous avez raison je déteste ces sortes de réunions où l'autosatisfaction est de rigueur et va de pair avec l'échange obligé de congratulations...» l'avais-je interrompue en pastichant ses tournures grandiloquentes...

«Mais je m'en voudrais de décevoir mon ami Philippe qui vient tout juste de me faire part de votre décision...» continuai-je de plus belle

«J'en avais conclu comme vous que ma présence à cette soirée n'était plus nécessaire mais ce cher Philippe m'a si éloquemment persuadée du contraire que je me suis vue forcée de me raviser... je serai donc des vôtres ce soir... d'ici là je vous laisse à vos tristes obligations... le cortège est près de s'ébranler à ce qu'il me semble aussi ne vous retiendrai-je pas plus longtemps... moi-même je dois me hâter sinon je risque d'être en retard à mon rendez-vous chez le coiffeur... ce serait une catastrophe vous me voyez faisant mon entrée dans le hall de l'hôtel Plaza avec la tête que j'ai en ce moment...»

sur ces entrefaites Philippe Ravary s'est joint à nous et Aimée Bégin-Béland a fait preuve d'encore plus de culot qu'elle ne l'avait fait jusque-là

«À lundi ma petite Dominique et passez une bonne soirée... vous avez certainement un... heu... comment dites-

vous?... ami fiancé compagnon qui se réjouira de ce que vous ayez pu vous libérer... cela dit et si par extraordinaire vous vous trouviez dans les parages ce soir faites donc un saut par le Plaza Philippe et moi serions enchantés de faire la connaissance de votre... heu... enfin qu'importe un garçon charmant j'en suis sûre... peut-être avez-vous déjà eu cette chance mon cher Philippe?... Dominique et vous paraissez si liés...»

ce cher Philippe s'efforçait de dissimuler son embarras tandis que je m'appliquais à conserver mon sang-froid

la mère Aimée se hâtant vers la limousine qui l'attendait au bas de l'escalier j'ai coupé court aux éventuelles explications de mon collègue en prétextant une course à faire

à ce moment-là j'étais déterminée à profiter coûte que coûte de cette occasion de jouer les trouble-fêtes Dominique Légaré sortirait l'espace d'une soirée du rôle de voyeuse qu'elle interprétait d'ordinaire avec tant de naturel bien sapée bien coiffée bien grimée elle se composerait une dégaine de femme du monde et puisque le scénario Bégin-Béland l'exigeait ainsi elle dégoterait quelque part un partenaire d'occasion n'importe quel charmant garçon ferait l'affaire pourvu qu'il cloue le bec à cette pécore le moment venu

déjà je me frayais un chemin à travers la foule clair-semée qui s'attardait sur le parvis de l'église Saint-Viateur je n'avais pas de temps à perdre si je ne voulais pas manquer le lever de rideau je marchais si vite que dans ma hâte j'ai bousculé une grosse fille qui se tenait immobile sur l'une des marches de l'escalier j'ai dit «pardon» et elle a fait «han» il me semblait avoir déjà vécu cette scène mais j'avais oublié où et quand j'ai continué mon chemin *jusqu'à ce qu'agacée par cette impression de déjà-vu je fasse demi-tour la grosse fille n'avait pas bronché et c'est alors que je me suis souvenue de la folle à la face de lune que j'avais croisée un jour en sortant du cabinet du docteur Prével*

c'était bien elle à cette différence près qu'elle avait ce matin le menton barbouillé de chocolat détail insolite que je n'avais pas remarqué tout de suite et qui ajoutait au caractère incongru de sa présence sur cette marche d'escalier où elle devait se trouver par hasard puisqu'elle n'était sûrement mêlée en rien aux destinées de la maison Bégin elle portait les mêmes vêtements hors saison que l'autre jour elle transpirait aussi abondamment et son regard épouvanté était pareillement retourné vers l'intérieur

le cortège s'est mis en branle et la grosse fille a tiré un mouchoir de la poche de son pantalon tire-bouchonné j'ai cru qu'elle allait se mettre à sangloter après tout peut-être avait-elle quelque raison de pleurer ce « cher disparu » qu'Aimée Bégin-Béland n'avait même pas la décence de feindre de regretter mais elle s'est contentée d'essuyer avec soin le pourtour de sa bouche avant de se mettre lourdement en marche

je me suis mise exprès en travers de son chemin et c'est elle qui m'a heurtée au passage j'ai dit «pardon» et elle a répondu «han» sa face de lune luisait de sueur j'étais moi-même en nage le soleil de midi était resplendissant mais l'orage était déjà dans l'air je le pressentais.

Maintenant que le ciel est sur le point de chavirer je tergiverse encore usant de mille faux-fuyants pour retarder le moment de ma seconde entrée en scène de la journée bien que les accessoires nécessaires à ma prestation boucles soyeuses robe de rêve partenaire idéal soient tous réunis

comment Dominique Légaré pourrait-elle avoir une place parmi ces personnages qui telles des vedettes de cinéma se disputent les faveurs de la caméra?...

ce sont eux qui tour à tour mènent le bal de ce samedi tandis que j'applaudis à leur succès

papa et maman Lou Emmanuel le maître-coiffeur de la rue Laurier Normand Petit le libraire logorrhéique la folle à la face de lune qui me poursuit de son ombre malfaisante l'odieuse mère Aimée et Philippe Ravary son chevalier servile Françoise Garneau et son fils Étienne le garçon charmant surgi à point nommé et tous ces autres croisés dans les coulisses dont je n'aurais jamais soupçonné qu'ils auraient trouvé eux aussi quelque recoin de mon esprit où se loger

Cecilia la petite Sara Mireille Racine et ces autres encore que j'ai à peine frôlés au hasard de mes allées et venues Jimmy Noémie Eduardo Jérôme et la grand-mère Xanthos l'aïeule marmotteuse et toujours vêtue de noir qui à cette heure creuse précédant la tombée du jour continue de veiller du haut de son balcon sur ces petits-enfants tapageurs

tous ont assiégé en bande l'espace vacant que je leur ai abandonné faute d'être moi-même en mesure de l'occuper même ce brave docteur Prével aura eu voix au chapitre malgré les milliers de kilomètres qui le séparent de la ruelle de l'avenue du Parc

seule Dominique Légaré se sera effacée devant ces personnages de la vie ordinaire de sorte que cette journée aura été la leur tout comme cette soirée qui s'annonce fertile en mini-événements et au cours de laquelle elle leur servira de faire-valoir à moins qu'elle ne prenne le parti d'échapper à l'orage qui menace en s'ensevelissant sous ses couvertures jusqu'à l'été prochain car déjà le tonnerre gronde et bientôt c'en sera fait de la belle saison.

LA TOMBÉE DU JOUR

À peine avais-je mis les pieds dehors qu'il s'était mis à tomber des cordes j'avais eu la sagesse d'emporter un parapluie mais ce vent de tous les diables dont Normand Petit avait prédit l'avènement me l'avait presque aussitôt arraché et il n'y avait bien sûr pas un seul taxi dans les parages ce qui compromettait sérieusement mes chances de conserver intacte ma tête de femme du monde jusqu'à l'hôtel Plaza

tandis que je zigzaguais gauchement entre les flaques d'eau qui s'accumulaient le long de l'avenue du Parc j'imaginais Mireille Racine baladant avec désinvolture ses tifs de sorcière sous les nuages...

Mireille Racine est trempée de la tête aux pieds. Le ciel était si lumineusement bleu ce matin qu'elle n'a pris ni imper ni parapluie. Mais cette pluie rafraîchissante est la bienvenue. Elle soulage la sensation de brûlure que la comédienne ressent dans le creux des reins et qui irradie jusque dans ses orteils comprimés dans ses bottillons neufs à bouts pointus.

Cette douleur dorsale est le résultat d'un exercice ardu qu'elle s'est imposé, ces jours derniers : réciter son texte tout en faisant le pont, c'est-à-dire en s'arc-boutant au sol des pieds et des mains et en redressant le corps jusqu'à ce qu'il forme un demi-cercle parfait.

Il faut vraiment avoir le feu sacré pour se soumettre de son plein gré à pareille torture. Tout ça pour s'entendre quasiment traiter de folle par un metteur en scène plein de suffisance : « Ça va pas, ma grande, ça va pas du tout. T'as l'air d'une hystérique en crise. C'est pas la Salpêtrière ici, c'est le Quat'Sous, et c'est *Peinture sur bois* que je monte, ma grande, pas *Marat-Sade*... »

Mireille Racine ne sait pas ce que c'est que la Salpêtrière. Elle n'a pas demandé d'explications au metteur en scène. Ce cuistre aurait pris trop de plaisir à épater à peu de frais la galerie de courtisans rassemblés pour la circonstance. De toute façon, elle s'en fout de la Salpêtrière, tout comme elle se fout de la pluie qui ruisselle sur ses cheveux coupés ras.

Le metteur en scène a tiqué en examinant sa tête de sorcière – une création signée Emmanuel pourtant. «C'est pas vilain, mais ça colle d'un peu trop près au personnage. Faut éviter de redoubler le texte, ma grande. Y a une compagnie de banlieue qui voudrait monter la *Sainte Jeanne* de Brecht, tu veux que je leur refile tes coordonnées?» Bref et en d'autres termes : «Merci, ma grande, et meilleure chance la prochaine fois!...»

D'ici là, il faudra faire avec cette tête-là. Le mieux, ce sera encore de prétendre que l'affaire est dans le sac, jusqu'à demain (ou après-demain) au moins. Même Dominique Légaré n'y a vu que du feu quand Mireille Racine l'a croisée tout à l'heure. Pourtant, s'il y en a une qui a l'œil exercé, c'est bien celle-là! Elle passe des heures à épier les habitants du voisinage, comme si elle n'avait rien de plus intéressant à faire. Comme si les emmerdes ou les petits bonheurs des autres constituaient ses seules distractions...

Quel rabat-joie, cette Dominique Légaré! Elle aurait bien pu accepter de venir prendre un pot au lieu de se défiler en invoquant Dieu sait quelle obligation professionnelle. Pendant que l'une se casse en vain la cervelle (ou les reins) à essayer de gagner sa croûte, l'autre a tellement de pain sur la planche qu'elle n'a pas trop de son samedi soir pour satisfaire à la demande. C'est ce qu'elle prétend en tout cas...

Le monde tel qu'il est compte davantage de pions que

de cases à remplir, et ce jeu de dupes oblige des comédiennes de talent à s'exhiber comme des saltimbanques devant des metteurs en scène de quat'sous qui se prennent pour le bon Dieu (ou Bergman) en personne...

Mais peut-être cette averse de fin de saison se transformera-t-elle au cours de la soirée en un déluge d'apocalypse, une petite fin du monde qui changera la donne une fois pour toutes? Au point où elle en est (et avec sa nouvelle tête), la comédienne est d'humeur à affronter les pires intempéries. Quant à sa robe gitane – qui n'a pas eu l'heur non plus de plaire au metteur en scène («Tu joues pas Carmen, ma grande...») –, eh bien elle ira à Sara qui s'en fera un costume pour l'Halloween.

Sara! À l'heure qu'il est, la sauterelle doit trépigner d'impatience. Elle sera déçue quand elle apprendra que sa mère a échoué à son audition. La petite s'était fait un tel cinéma avec cette histoire de sorcière se consumant d'amour pour le Diable. À force de donner la réplique à sa mère, elle a fini par apprendre par cœur des passages entiers du monologue qu'elle récite, non sans talent d'ailleurs. Malgré son âge, on l'aurait imaginée sans peine, bringuebalant sur son chariot de poussière, la tête renversée vers le ciel couvert *de petits nuages en forme de mains*... C'est Sara qui a eu cette idée farfelue de posture en arc de cercle. Comme toutes les fillettes de onze ans, elle adore faire des pirouettes. Elle voudrait suivre des cours d'acrobatie. Il n'en est pas question, bien sûr. Le budget maternel a beau être élastique, il pète en général avant la fin du mois. Dommage, parce que la petite est visiblement douée. Bien plus que sa copine Noémie qui a la chance d'avoir un Papou friqué pour qui ces petits extras ne représentent rien.

Si la sauterelle a faim, elle trouvera le frigo à peu près vide, à supposer qu'elle s'avise de regarder à l'intérieur de l'appareil au lieu de se laisser mourir d'inanition en s'imaginant prisonnière d'une geôle du Moyen-Âge. De toute évidence, Sara s'identifie au personnage de la sorcière que sa mère n'interprétera pas faute d'être parvenue à séduire le metteur en scène.

Mireille Racine avait prévu faire quelques courses en rentrant. Mais les épiceries sont fermées depuis un bon moment. C'est cette satanée audition qui est responsable de ce contretemps. Sans compter qu'avec le coiffeur, les bottillons à bouts pointus, le taxi aller retour (et le reste...), le portefeuille de la comédienne s'est considérablement dégarni depuis ce matin.

Peut-être Sara aura-t-elle été invitée à manger chez les Pomainville ? Ce serait la solution idéale, parce que Mireille Racine n'a vraiment pas envie de passer son samedi soir à la maison. Pas après l'humiliation qu'elle vient de subir, cet après-midi ! Elle préférerait musarder sous la pluie jusqu'au petit matin. Ou entrer (incognito) dans l'un de ces bars miteux qui pullulent dans les environs pour y célébrer solitairement sa défaite.

L'Envers du Décor fera très bien l'affaire. Un ex-bar à la mode où Mireille Racine a peu de chances de rencontrer quelqu'un qu'elle connaît. Auparavant, elle donnera un coup de fil à Sara. Après tout, une petite fille de onze ans (bientôt douze) est en âge de se débrouiller seule. Elle peut se faire livrer une pizza ou du poulet rôti. Sans doute ce qu'il lui reste d'argent de poche ne fera-t-il pas le compte ? Mais il se trouvera bien quelque voisin complaisant pour lui avancer la différence. C'est ce que Mireille Racine suggérera à sa fille. La sauterelle sera ravie. Elle raffole de ces dînettes improvisées. Et, si jamais elle aborde le sujet de l'audition, eh bien! le mieux sera encore de rester dans le vague. Ou de prétendre que les jeux ne sont pas encore faits et qu'ils se poursuivront dans la soirée. L'important, c'est de parler à Sara avant qu'elle ne se mette à échafauder toutes sortes de scénarios tragiques («scenarii», dirait le metteur en scène du Quat'Sous, qui se fait fort de reprendre ses interlocuteurs sur ce genre de détails), c'est-à-dire subito presto. Comme ça, il ne sera pas dit qu'en plus d'être une comédienne ratée, Mireille Racine se sera comportée en mère indigne.

Tandis que je zigzaguais gauchement entre les flaques d'eau qui s'accumulaient le long de l'avenue du Parc je revoyais Mireille Racine baladant avec désinvolture ses tifs de sorcière sous les nuages et j'enviais sa manière crâne de défier ce ciel d'été qui n'avait pas tenu sa promesse

était-ce l'éclat un peu trop brillant de ses yeux ou le timbre trop haut perché de sa voix il me semblait à la réflexion que ma saltimbanque de voisine m'avait joué la comédie tout à l'heure et je l'imaginais sans peine cabotinant la soirée entière pour le bénéfice de quelque amateur du genre harponné dans un bar des environs...

Noémie Pomainville n'a pas le plus petit espoir de ressembler un jour à l'une de ces belles étrangères que des garçons de rêve tel Jérôme Prével gavent de sorbets aux fruits de la passion. Même avec du maquillage, elle ne fait pas illusion. Peut-être a-t-elle mis trop de ceci et pas assez de cela? La trousse de la mère de Sara contient une telle variété de fards de toutes les couleurs qu'à moins d'être une professionnelle comme elle, on n'a d'autre choix que d'y aller au pif. Résultat : l'image que reflète le miroir cerclé d'ampoules de la comédienne est celle d'une demi-portion pâlichonne de onze ans et demi, affublée en plus d'une paire d'yeux barbouillés de noir, depuis que son Papou l'a fait pleurer en lui rappelant que « piquer, c'est voler, ma puce... », avant de la sommer de rentrer tout de suite à la maison, sinon « terminées les leçons de danse et les jupettes à volants... »

Papou n'était pas content que Noémie n'ait pas téléphoné plus tôt, il avait sa voix des mauvais jours. Il n'a pas voulu dire comment il avait découvert le larcin. Mais nul besoin d'avoir des dons de sorcière pour deviner l'identité du mouchard. Une fois de plus, cette petite fouine de Raphaël se sera amusé à espionner sa sœur aînée et il n'aura eu rien de plus pressé que d'aller cafarder à l'Anne-Marie de Papou, histoire de se venger de n'avoir pas été invité à la fête organisée en l'honneur de Mireille Racine. Et l'Anne-Marie aura profité de l'occasion pour monter Papou contre Noémie, alors qu'au fond elle se fiche pas mal du nombre de bouteilles de champagne qu'il y a à la cave puisqu'elle ne raffole pas « des bulles », comme elle dit en pinçant les lèvres, chaque fois que Papou propose d'en déboucher une.

Mais Papou s'est radouci quand il a compris quel grand jour c'était, aujourd'hui, pour Mireille Racine. « Tu diras à la mère de Sara qu'elle peut trinquer à la santé de Bernard Pomainville... » a-t-il conclu avant de raccrocher. Papou est un homme très généreux.

En plus du champagne, Noémie a obtenu la permission de dix heures. Heureusement! sinon elle aurait été forcée de désobéir parce qu'elle n'aurait pu se résigner à laisser tomber sa meilleure amie, surtout un soir comme ce soir. Si Papou et son Anne-Marie décident d'aller manger au restaurant, ils n'auront qu'à faire appel à une « vraie » gardienne plutôt qu'aux services gratuits de la grande sœur. Et si la petite fouine rouspète, eh bien ils l'emmèneront avec eux. Après tout, Raphaël a six ans, ça n'est plus un bébé, même s'il lui arrive encore de se lever de table avant la fin du repas.

L'Anne-Marie n'apprécie pas beaucoup les sorties en famille. D'après Papou, c'est son boulot de « locomotive culturelle » qui veut ça. De fait, elle mène un train d'enfer à longueur de semaine, et ce pauvre Papou n'a d'autre choix que de s'accrocher et de tenir le rythme, s'il ne veut pas être abandonné sur une voie de garage. Selon la définition de Papou, une « locomotive culturelle », c'est une personnalité en vue, susceptible de faire ou de défaire par ses opinions la carrière d'artistes débutants, voire de célébrités. «Celle-là» n'est pas la seule locomotive en ville, paraît-il, mais c'est l'une des plus suivies parce qu'elle a la réputation de ne faire de cadeau à personne, pas même à ceux qui ont le privilège de compter parmi ses chouchous. Par contre, quand elle «craque» comme elle dit, elle le clame bien fort, et le public s'enflamme avec elle. Peut-être craquera-t-elle pour Mireille Racine? Ce serait merveilleux pour la comédienne (et pour Sara, qui bénéficierait d'un peu plus d'argent de poche), quoique assez peu probable, car l'Anne-Marie a l'habitude d'être sans pitié pour les *nobody,* à moins qu'ils ne soient très jeunes.

La mère de Sara mériterait pourtant d'être encouragée, même si elle est beaucoup trop jolie pour jouer les sorcières. Peut-être son miroir cerclé d'ampoules l'a-t-il abusée? Au lieu d'arrondir les angles, il semble qu'il les accentue, ce qui n'avantage pas nécessairement la silhouette de celle qui s'y mire, sauf si elle aspire comme la comédienne à incarner les suppliciées.

«La Petite Fille aux allumettes, version *nineties*», ironiserait l'Anne-Marie qui n'est jamais à court de formules-chocs, dès lors qu'il s'agit d'inventer des catégories pour classer les gens. Ce pauvre Papou fait souvent les frais de ce petit jeu de massacre. Chaque fois qu'il n'est pas du même avis qu'elle, son Anne-Marie l'envoie paître avec le troupeau de *baby-boomers* auquel il a la malchance d'appartenir.

Hélas! les petites filles aux allumettes ne font pas battre le cœur des garçons de rêve. Impossible d'en douter plus longtemps. Le serveur de La Cage a fait mine de ne pas la reconnaître, alors que tous deux fréquentent la même école depuis la rentrée. Mais sans doute Jérôme Prével n'aura-t-il pas remarqué la présence de Noémie Pomainville parmi la cohorte de nouvelles venues apparues toutes en même temps?

Quels que soient les efforts qu'elle déploie pour attirer l'attention des gens, il semble que Noémie soit condamnée à passer inaperçue. Même la Spectatrice – la voisine de Sara qui se trouvait là par hasard et qui n'a cessé de zieuter la clientèle – a paru l'ignorer. Quant au garçon qui partageait sa table, il n'a pas une seule fois tourné les yeux vers Noémie. Pourtant, lui non plus n'arrêtait pas de dévisager les gens.

Au bout du compte, le seul individu de sexe masculin qui ait manifesté quelque intérêt pour Noémie Pomainville au cours de cet après-midi du samedi, c'est le libraire des Belles-Lettres, M. Petit, encore qu'il ne fasse aucun doute qu'il préfère Sara. Sans doute M. Petit apprécie-t-il qu'on l'envoie promener, ce dont la copine de Noémie ne s'est pas privée tout à l'heure. Il rougissait de plaisir à chacune de ses rebuffades. Quand elle lui a dit qu'il avait l'air d'un clown dans sa chemise bariolée, il n'a pas paru choqué. Au contraire, il s'est mis à rire comme un fou, puis il s'est lancé dans une interminable histoire de philtre d'amour et d'épée séparant les corps de deux amants égarés dans une forêt du Moyen-Âge.

M. Petit est un homme très érudit. Il connaît des tas d'histoires qu'il raconte avec autant de détails que s'il lisait dans un livre. Et il est très généreux en plus. Comme Papou, à qui il ressemblerait un peu, s'il n'était aussi gros et laid et s'il ne sentait aussi terriblement mauvais. Cet après-midi, il s'est éclipsé un moment dans son arrière-boutique et il en est revenu les bras chargés de livres. « De quoi satisfaire les goûts les plus divers... » a-t-il précisé en laissant les deux copines se partager le butin. Des romans dont les héroïnes sont des jeunes filles (« De petites diablesses à peine plus âgées que vous mais très dégourdies, vous verrez... »), des livres d'histoire sur le Moyen-Âge (« Sorcières, acrobates, jongleurs : de quoi nourrir les rêves de prime donne telles que vous... »), un album sur les plus beaux jardins du monde (« Celui-là, c'est pour le petit rat de la ruelle du Parc... »).

Le petit rat en question doit commencer à se demander pourquoi sa copine s'est enfermée dans la salle de bains. Comment pourrait-elle comprendre le besoin de solitude qu'a ressenti Noémie au terme de cet après-midi difficile? Sara ne sait pas ce qu'une fille éprouve quand elle se fait gronder par son Papou puisqu'elle n'en a pas. Quant aux garçons de rêve qui courtisent les belles étrangères, eh bien ils ne la font pas rêver, du moins c'est ce qu'elle prétend. La seule chose qui lui importe, c'est que sa mère trouve le repas servi quand elle rentrera. Mais il n'y a pas grand-chose à faire d'ici là, à part mettre le couvert, disposer les truffes au chocolat sur une assiette et, le moment venu, réchauffer les plats surgelés dans le four à micro-ondes. Il n'y aura plus ensuite qu'à déboucher cette satanée bouteille de champagne. De toute façon, Noémie serait prête à parier que Mireille Racine arrivera beaucoup plus tard que prévu. Peut-être même aura-t-elle raté son audition? Mais cela ne l'empêchera pas de faire honneur au festin qui l'attend. Mireille

Racine n'en est pas à un échec près. Et elle n'a pas l'habitude de s'en faire bien longtemps avec ce genre de choses. Dommage que Papou ne l'ait pas rencontrée avant son Anne-Marie! Mireille et Papou. Sara et Noémie. Tous auraient pu faire la fête ensemble, ce soir. Même Raphaël aurait pu être de la partie. Et l'été prochain, tout le monde s'en irait en voyage en France. Sara n'aurait pas besoin de compter sur l'hypothétique métamorphose de sa mère en sorcière de théâtre. Mais, les choses étant ce qu'elles sont, le petit rat préféré de Normand Petit devra sans doute se contenter de voyager autour de sa chambre en feuilletant les beaux livres qu'il lui a donnés.

Averse averse averse... pluie ô pluie ô pluie ô! chantonne le libraire du boulevard Saint-Joseph en rajustant son pantalon de lin. Le voluptueux quart d'heure qu'il vient de passer dans son arrière-boutique l'a laissé mou comme une chiffe. *Gouttes d'eau gouttes d'eau gouttes d'eau... parapluie ô parapluie ô paraverse ô!* poursuit-il en tambourinant de ses poings grassouillets contre son ventre rebondi. *Mouille l'eau mouille l'eau mouille l'eau... et que c'est agréable agréable agréable!* n'en déplaise à Dominique Légaré et à ses *cheveux mouillés... qui ne vont plus friser qui ne vont plus friser...*

Il pleut. Normand Petit a vu juste comme à l'accoutumée. Midi n'avait pas encore sonné qu'il prédisait déjà que le temps virerait à l'orage avant la nuit. À cette heure, le soleil tombait à plomb sur la vitrine des Belles-Lettres, pendant que son ex-tout-court faisait des gorges chaudes de ses prophéties. Mais voilà qu'il pleut, enfin! *et que l'eau mouille et mouille* les bouclettes de la donzelle qui se désole de ce que c'en soit fait (ou presque) de cette saison maudite.

La poésie, Dominique Légaré n'y entend goutte. Sans le secours de son ex, elle en serait encore à plancher sur ses devoirs d'université. La pauvre fille ne changera jamais. Qu'avait-elle à faire, aujourd'hui encore, à s'accrocher aux basques d'un jeune homme de plusieurs années son cadet? Elle n'aurait pu choisir plus mal. Car Étienne Garneau est un garçon résolument moderne qui se lassera rapidement d'une femme entre deux âges, spleenétique en plus, et affublée d'accroche-cœurs empestant la laque. La belle aura beau essayer les poses les plus diverses, le photographe aura vite fait d'épuiser le sujet. Et il n'en goûtera que mieux la fraîcheur d'Ève-Marie (ou Anne-Sophie?) – la «Charlotte» de Normand Petit, qui s'est pointée à la librairie en début de soirée.

La petite vendeuse de la boutique Virilis visitait les Belles-Lettres pour la première fois. Jusque-là, Normand Petit ignorait tout de ses relations avec Étienne Garneau. Mais Charlotte est allée droit au fait. Se faufilant entre les rayonnages sans jeter un coup d'œil sur leur contenu, elle s'est campée devant le libraire qu'elle a d'emblée soumis à un interrogatoire serré: Étienne était-il venu, ce samedi, traîner à la librairie? Et si oui, combien de temps y était-il resté? Et de quoi avait-il causé? De ses sempiternels projets d'expo? Avait-il acheté un autre de ces bouquins sur la photo qui coûtent les yeux de la tête? Et à quelle heure exactement était-il reparti? Et quelle direction avait-il prise en sortant? Était-il seul, ou avait-il emballé l'une de ces bonnes femmes tout émoustillées à la perspective de servir de modèle à un photographe plein d'avenir? Et, finalement, avait-il, oui ou merde! laissé un message pour elle, Anne-Sophie Couturier, qui avait passé la journée à attendre qu'il daigne lui faire signe?

Malgré le ton rogue qu'elle affectait d'employer, la mignonne faisait peine à voir. Aussi Normand Petit s'est-il contenté de répondre à la dernière question en hochant négativement la tête, comme s'il n'avait rien entendu de celles qui l'avaient précédée. Retroussant son adorable lippe boudeuse, Charlotte a gratifié le libraire d'une grimace de remerciement, avant de s'en aller en claquant si fort la porte qu'il s'en est fallu de peu que la vitrine n'éclate, jetant bas baigneurs et poupées de porcelaine exposés à l'admiration des jeunes clientes du voisinage.

Après cette sortie fracassante de l'Ève-Marie (ou Anne-Sophie?) d'Étienne Garneau, le libraire a ressenti le besoin impérieux de se soulager de la tension créée par le passage éclair de la jeune fille. Quel couillon, celui-là! Préférer à l'exquise petite vendeuse de la boutique Virilis une Dominique Légaré déjà rassise. Voilà qui dépasse l'entendement de n'importe quel mâle normalement constitué. Telle est du moins l'opinion du proprié-taire des Belles-Lettres qui vient tout juste d'en vérifier le bien-fondé en s'octroyant un petit quart d'heure d'in-timité dans la solitude de son arrière-boutique. Peut-être aurait-il dû ménager ses forces en prévision de cette nuit d'orage, d'où surgira l'infante en cavale et aux *cheveux tout humides d'averse et de pluie et de gouttes d'eau de pluie... cheveux désarçonnés cheveux sans parapluie...*

En attendant ce moment béni, la pluie continue de pleuvoir et Normand Petit, de fredonner la chanson de Queneau. Hormis l'espèce de saltimbanque chaussée de bottillons vernis qui, il y a un instant, est venue mirer son crâne à moitié chauve dans la vitrine embuée, les rares passantes qui circulent encore le long de l'avenue du Parc ont troqué camisoles et jupettes à volants contre *capu-chons pèlerines et imperméables.* Ce samedi aura été le dernier de l'été, mais les jolies filles en auront bien profité. N'ont-elles pas paradé tout le jour, exhibant leur peau de miel dorée par le soleil de l'été ? Il fait nuit noire maintenant, et Normand Petit s'apprête à fermer boutique. Il a une faim de loup qu'il ira apaiser dans un restaurant du quartier. Ensuite, il se mettra à la recherche de l'infante sans parapluie, qu'il abritera de cet orage sur le point d'éclater. S'agira-t-il de quelque gamine inconnue mais peu farouche ? Ou de l'un des petits rats apprivoisés venus lui rendre visite tout à l'heure ? Chose certaine, l'élue ne ressemblera en rien à cette créature adipeuse qui, soudainement, vient de plaquer son masque ruisselant sur la vitrine de la librairie. Mais d'où sort cette grosse fille à la face de lune, affligée de tics grotesques et vêtue d'habits informes ? Le rondouillet libraire du boulevard Saint-Joseph est sans pitié pour ces sortes de sous-produits de l'humanité, visiblement incapables de surmonter leur disgrâce physique. Il n'y a personne de mieux placé que Normand Petit pour en juger. Ne s'est-il pas, ces derniers temps, efforcé de remédier à ses tares naturelles ? Oh ! bien sûr, nul n'est dupe du caractère désespéré d'une pareille entreprise, mais cela n'empêche que grâce à la collaboration de l'adorable Charlotte (Anne-Sophie ou Ève-Marie ?), le meilleur client de la boutique Virilis n'en est pas encore réduit à promener sous la pluie une dégaine à faire se retourner sur son passage les plus blasés des habitants du quartier.

Aussi étrennera-t-il, ce soir, le blouson d'aviateur choisi tout exprès pour lui par la petite vendeuse. Le « perfecto » de cuir, destiné à protéger de la pluie la chemise ornée de dessins du Moyen-Âge qui enchantent les jeunes clientes de la librairie.

Car il pleut, voyez comme il pleut ! petites bergères de macadam qui vous enfuirez à pas de loup de vos appartements désertés par papa-maman et qui errerez de par les ruelles, jusqu'à ce que le prince des Belles-Lettres, qui arpentera venelles et coupe-gorge, recueille la plus frissonnante d'entre vous qu'il bichonnera tant et si bien qu'elle expirera de plaisir ou de douleur entre ses bras.

N'avais-je pas eu tort de me précipiter tête nue sous la pluie telle une débutante conviée à son premier bal au lieu de rester au sec à veiller sur le sommeil de petit Lou de l'étage au-dessous cet angelou hurleur et vraisemblablement livré pour l'heure et par ma faute aux mains revêches de je ne sais quelle Manon à supposer que le mauvais temps qui sévit depuis la tombée du jour n'ait servi de prétexte à papa et maman Lou pour remettre à la saison prochaine leur gueuleton au restaurant...

mais il était trop tard pour faire volte-face j'avais déjà franchi la moitié du chemin et j'irais jusqu'au bout de cette interminable descente vers le centre-ville malgré l'inconfort de cette robe d'emprunt si légère qui entravait ma marche et dont il me fallait bien m'accommoder puisque j'avais résolu de m'introduire par effraction dans la peau soyeuse de l'une de ces femmes de rêve auxquelles j'avais l'impudence d'imaginer que je ressemblais

et je frissonnais sous l'averse tandis que me filaient sous le nez des dizaines d'autobus bondés et de voitures de taxi toutes occupées le mal était fait maintenant mes boucles n'étaient plus qu'un souvenir balayé par la pluie mais je n'en poursuivais pas moins ma route vers l'hôtel Plaza en me remémorant l'apparition prémonitoire de cette grosse fille engoncée dans son col roulé et dont le regard tourné vers l'intérieur était resté si étonnamment imperméable au mien...

Si Manon a l'air déboussolé d'une fille du Lac-Noir qui viendrait tout juste d'arriver en ville, ça n'est pas faute pourtant d'avoir pris de bonnes résolutions. Mais c'est chaque fois pareil. Elle commence par se mettre en route en se promettant qu'elle fera très attention à ne pas se laisser distraire, puis son regard est soudainement happé par quelque chose ou par quelqu'un, et elle ne peut plus s'en détacher. Elle fige... C'est comme si elle plongeait au plus profond de cette étendue d'eau bourbeuse qu'elle charrie au-dedans d'elle-même. Il n'y a pas d'autre échappatoire. Et quand elle refait surface, elle ne parvient à reprendre pied qu'après s'être laissée aller à la dérive, encore un moment.

Une fille comme Manon a intérêt à savoir où elle va, sinon il vaut mieux qu'elle n'y aille pas. D'ailleurs, c'est ce que prétend le docteur Prével qui l'a mise plusieurs fois en garde contre les dangers du vagabondage. Mais Manon ne doit pas pour autant rester enfermée dans sa chambre à longueur de journée. D'après le docteur Prével, ce serait plus dangereux encore. Elle risquerait de se remettre à jongler avec ces idées noires qui, la saison dernière, l'ont conduite à l'hôpital.

Aussi Manon ne s'aventure-t-elle pas au-dehors sans

avoir établi au préalable l'itinéraire qu'elle suivra. Si elle n'a pas rendez-vous avec le docteur Prével ce jour-là, elle invente un but quelconque à sa promenade. Aller nourrir les canards qui barbotent dans le lac des Castors. Ou marcher jusqu'au bureau de poste pour voir si Ppa n'aurait pas expédié un petit en-cas pour aider sa fille unique à finir le mois. Ou passer par la pharmacie dans l'espoir qu'un employé moins sourcilleux que les autres acceptera de renouveler avant l'échéance l'ordonnance du docteur Prével. Ou flâner en regardant les étalages des épiceries fines et des pâtisseries de la rue Laurier. Mais toutes ces courses à travers les rues du quartier ne suffisent pas à remplir une journée comme aujourd'hui. Il reste toujours des temps morts à combler.

À l'époque du Lac-Noir, Mman disait souvent qu'une fille bien élevée ne doit jamais dévisager les gens qu'elle ne connaît pas. Elle avait certainement raison puisque à chacune de ces séances où Manon est contrainte de se présenter sous peine d'être renvoyée à l'hôpital, le docteur Prével répète la même chose en d'autres mots. Si Manon réussissait à se débarrasser de cette mauvaise habitude, elle ne perdrait pas aussi facilement de vue le but de sa promenade. Le pire, c'est quand son regard est happé au passage par quelque chose ou par quelqu'un qui l'oblige à revenir en arrière, comme cela vient tout juste de se produire.

En longeant le boulevard Saint-Joseph, Manon est tombée en arrêt devant la devanture des Belles-Lettres. À cause de ces «baigneurs 1900 en cire et celluloïd» figurant au sein d'une collection de poupées anciennes soigneusement étiquetées – de monstrueux poupons aux yeux de verre qui l'ont forcée à se ressouvenir du corps du grand frère croupissant au fond du lac Noir. Et à cause du collectionneur lui-même – un homme gros et laid, semblable aux ogres des livres de contes. Manon a eu si peur qu'elle est restée figée encore plus longtemps que d'habitude. Pour échapper au regard dévorant de l'ogre, il a fallu qu'elle plonge en eaux profondes. Quand elle est remontée à l'air libre pour reprendre son souffle, le gros homme avait disparu derrière le rideau de fer qui protège la boutique des malfaiteurs.

Manon a joué de malchance aujourd'hui. Elle n'a cessé de se buter à des étrangers venus d'eux-mêmes se mettre en travers de son chemin. Avant l'ogre des Belles-Lettres, il y a eu cette jolie fille aux ongles vernis de la même couleur que sa robe – une vieille connaissance, celle-là ! puisque Manon a déjà eu maille à partir avec elle au sortir du cabinet du docteur Prével.

Il y avait foule sur le parvis de l'église Saint-Viateur. Manon s'est jointe à l'assemblée en regrettant de n'avoir pas assisté à toute la cérémonie. À l'heure de la célébration de la messe, elle était occupée à se faire expliquer la composition de chacun des gâteaux de la pâtisserie située de l'autre côté de la rue. Il faut dire que ça n'est pas facile de faire son choix parmi tant de délices aux dénominations extravagantes. Ppa et Mman seraient estomaqués s'ils voyaient ça. Au Lac-Noir, personne n'a jamais entendu parler d'«opéra» ni de «mandarin» pur chocolat. On en est encore au saint-honoré ou à la forêt-noire de supermarché, décorée de cerises en pot.

Jamais Manon n'avait vu un cortège d'un faste aussi impressionnant! Pourtant, elle fréquente beaucoup les églises depuis qu'elle habite en ville. Le samedi, il y a souvent des mariages, et elle s'imagine que c'est elle qui servira après la cérémonie les parts du «croquembouche» commandé chez le plus chic pâtissier de la rue Laurier. Quand elle tombe sur une cérémonie funèbre comme aujourd'hui, c'est le grand frère qu'elle imagine à la place du mort, même si son corps n'a jamais été inhumé, faute d'avoir été retrouvé. Du moins est-ce ce que Mman a toujours affirmé. Et Ppa ne l'a jamais démentie. Manon a cru longtemps que c'était la vérité. Elle le croit encore. Quoi qu'en dise le docteur Prével qui prétend que ça n'est pas possible. Que le corps a dû échouer quelque part. Que le lac Noir n'est pas la mer. Qu'on l'a certainement dragué. Que ses parents ont préféré la tenir à l'écart des événements parce qu'elle était une petite fille trop impressionnable. Qu'ils ont pensé bien faire. Mais qu'ils ont eu tort...

La fille avait l'air mal à l'aise dans sa robe orange. Peut-être se repentait-elle d'avoir revêtu une tenue aussi peu indiquée pour la circonstance? Manon, elle, s'est félicitée d'avoir mis des gants. Au Lac-Noir, Mman portait toujours des gants pour aller aux enterrements.

Le face à face s'est poursuivi pendant un moment. Manon s'est efforcée de chasser de son esprit le spectre du grand frère. Elle a tenté de se persuader que c'était le corps de Ppa qu'on allait mettre en terre, et qu'une limousine les attendait, elle et Mman, au bas de l'escalier. C'est ce qui lui a permis de se donner une contenance et de descendre avec dignité les marches du perron de l'église Saint-Viateur. Elle se serait sentie très fière d'elle, n'eût été le regard dégoûté de la fille sur son menton dégoulinant de chocolat. Quand elle s'est rendu compte de l'état où elle s'était mise, elle a eu honte. Mman aussi aurait eu honte. Le jour où Ppa mourra pour de vrai, Manon ne s'empiffrera pas de pâtisseries fines, elle jeûnera. Et elle s'habillera de noir comme il convient...

Après la fille aux ongles orange, il y a eu le photographe du mont Royal. Celui-là ne s'est pas contenté de capturer le regard de Manon, il s'est approprié son corps tout entier. Le garçon a surgi à l'improviste au détour du sentier menant au lac des Castors. Prise de panique, Manon s'est immobilisée aussitôt. Sur le moment, elle s'est laissé examiner sous tous les angles sans broncher. Quand elle s'est ressaisie, le garçon s'est adressé à elle, comme s'il s'était aperçu qu'il lui avait fait peur et qu'il avait voulu s'en excuser. Mais il n'a réussi qu'à l'effrayer davantage en décrivant en détail le traitement qu'il infligerait à son image. Manon n'a pas compris grand-chose à cette histoire de bains d'acide et de chambre noire...

Le garçon a ajouté qu'un fou de la photo comme lui était perpétuellement en quête de modèles originaux. Comme Manon ne répond jamais aux étrangers qui l'abordent au cours de ses promenades en ville, elle n'a pas réagi. Elle a simplement fait « han » quand le garçon a ajouté qu'elle avait beaucoup d'allure avec ses gants, ses bottines et ses vêtements hors saison. « Un look très contemporain... » a-t-il insisté en la mitraillant de plus belle avec son appareil, comme si elle avait été une fille aux ongles peints de la même couleur que sa robe. Avant de s'en aller, il a inscrit son nom sur un bout de papier qu'il lui a remis, au cas où elle serait intéressée à poser de nouveau pour lui. Le garçon s'appelle Étienne Garneau, et son numéro de téléphone indique qu'il habite, lui aussi, les environs de l'avenue du Parc.

Manon n'a pas été dupe des compliments du photographe. Au contraire, elle s'est sentie si mal dans sa peau qu'après son départ elle a préféré faire demi-tour. De toute façon, elle sait par expérience que les randonnées au lac des Castors ne lui valent rien. Comme les messes de funérailles, elles ne font que ressusciter le souvenir néfaste du grand frère disparu.

De retour chez elle, elle s'est immergée dans sa baignoire, ainsi que le docteur Prével lui a prescrit de le faire, plusieurs fois par jour. Elle est restée plus de vingt minutes à barboter dans l'eau comme un canard du lac des Castors, et elle y serait restée plus longtemps encore si la sonnerie du téléphone n'avait retenti. Manon a cru que c'était le docteur Prével qui l'appelait des États-Unis pour prendre de ses nouvelles. Ou Ppa qui voulait l'inviter à venir passer le dimanche au Lac-Noir pour fêter son anniversaire. Ou son voisin Jimmy qui avait un deal à lui proposer. Mais c'est une voix inconnue qu'elle a entendue s'exprimer à l'autre bout du fil – une jolie voix de dame, un peu hésitante, qui a expliqué qu'elle avait obtenu le nom de Manon par l'entremise d'une cliente du salon Clip et qu'elle avait besoin d'une gardienne pour la soirée.

Manon a failli se trouver mal en entendant cette voix de dame s'adresser à elle comme à une fille normale. Elle s'est mise à gigoter au bout du fil comme une méduse.

Dans sa hâte, elle n'avait même pas pris le temps de s'essuyer en sortant de la baignoire, et l'eau formait une petite mare à ses pieds. N'importe quelle fille normale aurait passé un peignoir avant d'aller répondre. Si la dame avait pu voir son corps nu qui dégouttait, elle aurait certainement raccroché. Encore heureux qu'elle ne l'ait pas vue serrant contre son cœur qui battait follement le bateau miniature du docteur Prével !...

Manon a répondu qu'elle était disponible, non seulement ce samedi mais tous les autres jours de la semaine, puisqu'elle n'avait pas d'emploi stable pour le moment. La dame lui a demandé si elle avait de l'expérience avec les bébés. Avec un aplomb dont elle ne se serait jamais crue capable, Manon a raconté qu'elle avait passé sa jeunesse à s'occuper d'un petit frère de plusieurs années son cadet. La dame a paru à moitié rassurée, puis elle s'est enquise de l'âge de son interlocutrice. Se vieillissant d'une demi-journée, Manon a déclaré qu'elle avait vingt ans. Elle a ajouté qu'elle aussi fréquentait le salon Clip à l'occasion. C'est ce dernier petit mensonge qui a finalement triomphé de la méfiance de la dame.

Vingt minutes plus tard, Manon se débattait encore avec son séchoir à cheveux. Si Jimmy avait été chez lui, elle lui aurait rendu visite pour le remercier d'avoir parlé d'elle à son ami Emmanuel. Peut-être l'aurait-il aidée à se faire une tête de salon Clip ? De guerre lasse, elle a fini par nouer ses cheveux avec un ruban.

Ensuite, elle a mis son meilleur col roulé et frotté ses bottines du Lac-Noir. Se jurant qu'elle achèterait un fer à repasser avec l'argent de sa première paie, elle a refait le pli de son pantalon en s'aidant du plat de la main. Ensuite, elle a enfilé ses gants. Elle était prête à partir quand le téléphone a sonné une seconde fois. C'était la dame qui rappelait pour vérifier si Manon avait bien pris en note l'adresse de son domicile et si elle connaissait le chemin pour s'y rendre. Comme cette dame (qui s'appelle Cousineau) habite la première rue à l'ouest de l'avenue du Parc, Manon s'est dit qu'elle l'avait peut-être déjà croisée en se rendant au cabinet du docteur Prével.

Jimmy est arrivé au moment où elle sortait. Quand Manon lui a annoncé qu'elle s'en allait garder le bébé d'une cliente du salon Clip, il l'a examinée de la tête aux pieds. Il a commencé par la féliciter pour sa nouvelle coiffure, puis il lui a suggéré d'enlever ses gants et de changer de chaussures. Il lui a conseillé aussi d'éviter de dire «han» à tout bout de champ.

Manon est retournée dans sa chambre. Elle a retiré ses gants et ses bottines et chaussé des mocassins qui traînaient sous le lit. À la dernière minute, elle s'est ravisée. Elle a remis ses bottines et fourré les mocassins dans un sac à dos. Juste avant de sonner chez la dame, elle troquera les unes contre les autres. Comme ça, elle aura les pieds bien au sec.

Jimmy n'était plus sur le palier quand Manon est ressortie. Elle a descendu l'escalier en courant même si elle savait qu'elle avait tout son temps. Manon aime bien partir en avance. Heureusement, puisqu'elle s'est attardée un long moment devant cette vitrine pleine de baigneurs 1900 monstrueux. Maintenant qu'elle est revenue à elle, elle se rappelle où elle va. Et elle y va tout droit sans se laisser distraire par quoi que ce soit. Grâce à ses bottines du Lac-Noir qui ne prennent pas l'eau, elle marche à grands pas vers ce petit Lou qui l'attend pour s'endormir.

« Le bébé s'appelle Lou, il est un peu nerveux ces temps-ci, il se réveille souvent en pleurant, mais il finit toujours par se rendormir, surtout si on lui chante une petite berceuse... » a précisé la jolie voix de Mme Cousineau au moment de raccrocher pour la seconde fois. Manon ne connaît pas de berceuses, mais elle a pensé à glisser le bateau du docteur Prével dans son sac à dos. Si bébé Lou ne veut pas dormir, ils embarqueront tous deux à son bord. Rien de tel qu'un bain prolongé pour calmer les nerfs. Si Mman n'en avait privé Manon après l'accident du grand frère, celle-ci serait peut-être devenue une fille normale. Du moins est-ce ce qu'affirme le docteur Prével qui doit bien s'y connaître un peu, puisqu'on l'a invité à colporter ses meilleures histoires de fous à des milliers de kilomètres d'ici...

Après avoir fait et refait le tour de sa garde-robe, Ariane Cousineau s'est résignée à remettre l'ample tunique sans manches qu'elle a portée toute la journée. Comme la température a fraîchi depuis qu'il s'est mis à pleuvoir, elle risque de grelotter dans cette tenue légère, mais ses vêtements de l'automne dernier sont tous ou démodés ou trop serrés. Si jamais elle décidait de partir en tournée, il faudrait qu'elle fasse une virée dans les magasins, histoire de ne pas faire honte aux camarades de l'orchestre.

Partira? Partira pas? Ariane se laissera-t-elle convaincre par les arguments d'Alain qui est encore revenu sur le sujet cet après-midi, comme s'il n'avait d'autre idée en tête que de se débarrasser d'elle au plus vite? Il est vrai qu'elle s'est montrée particulièrement odieuse avec lui, aujourd'hui. Surtout après la visite de Dominique Légaré qui est venue jeter de l'huile sur le feu en exhibant ses accroche-cœurs façon Emmanuel sous le regard envieux (et concupiscent?...) d'Alain.

Ariane aurait dû se réjouir de la bonne mine de sa voisine d'en haut au lieu d'en concevoir du dépit. Ne lui a-t-elle pas plus d'une fois enjoint d'arracher ce masque désespéré qu'elle arbore si volontiers et qui déforme ses traits naturellement avenants ? Pour ne rien laisser paraître de ce sentiment indigne, Ariane s'est empressée de faire écho aux compliments d'Alain, allant même jusqu'à prévenir le désir de Dominique de se métamorphoser, l'espace d'une soirée, en femme de rêve. Mais à la voir se glisser avec autant d'aisance à l'intérieur d'un fourreau taille 38 datant d'avant la naissance de petit Lou, elle s'est sentie flouée. Comme si Dominique Légaré lui avait fauché son personnage, à défaut d'être capable d'en créer une version originale.

Pourtant, Ariane ne sait plus très bien elle-même qui elle est depuis quelque temps. Elle pense une chose et son contraire, simultanément. Est-ce la fatigue qui lui trouble l'esprit de la sorte ? Ou la chaleur qui exacerbe sa tendance naturelle à l'indécision ? À moins qu'il ne s'agisse d'un virus circulant dans l'air suffocant de cette fin de saison caniculaire ? Même Boule Noire semble atteint. Sortira ? Sortira pas ? Le pauvre matou ne cesse d'aller et venir du dehors au dedans au risque d'attraper le tournis.

Sans doute est-ce l'orage qui affole les bêtes comme les gens. Au fur et à mesure que le tonnerre se rapproche de l'avenue du Parc et de ses environs, la tension augmente. Tôt ce matin, Ariane parvenait encore à se détendre en se représentant petit Lou en train de voguer sur une mer étale. Mais elle a eu beau multiplier les séances de relaxation par la suite, elle est restée chaque fois en rade, amarrée au berceau du nouveau-né hurlant et souillant de régurgitations jaunâtres la tunique blanche qu'elle a endossée en se levant et qu'elle ne retirera qu'au moment de se mettre au lit, n'en déplaise à Alain et à la clientèle du restaurant Xanthos. Pour ne pas gêner les dîneurs, elle enfilera son imper par-dessus sa tunique et elle le gardera pendant toute la durée du repas. De toute façon, elle ne compte pas s'attarder à table bien longtemps. Au premier coup de tonnerre, elle rentrera à la maison, même si Alain refuse de l'accompagner. Qui sait comment petit Lou réagira à cet orage qui s'annonce terrible? Il fera certainement une crise. Et qui sait si sa gardienne ne se laissera pas gagner par la panique, elle aussi?

Depuis qu'elle s'est entretenue avec cette drôle de fille recommandée par Dominique Légaré, Ariane ne cesse d'imaginer son angelou soumis aux pires sévices. Manon a déclaré être âgée d'une vingtaine d'années et avoir l'expérience des bébés, mais sa voix mal assurée résonnait plutôt comme celle d'une adolescente perturbée.

D'après Alain, c'est Ariane qui a tendance à virer parano depuis la naissance du bébé. Peut-être n'a-t-il pas entièrement tort? Si cette Manon s'en tire convenablement ce soir, elle pourrait devenir la gardienne attitrée de petit Lou, advenant le départ de sa maman en tournée. C'est ce qu'Alain a suggéré tout à l'heure en spécifiant qu'il organiserait son travail de façon à passer le plus de temps possible à la maison. Les soirs où il serait forcé de s'absenter, il n'aurait qu'à faire appel à la voisine d'en haut, qui sort rarement et adore petit Lou au point de ne pas passer une journée sans descendre l'embrasser.

Ariane n'a guère apprécié cette dernière allusion à Dominique Légaré. Elle n'a pas encore quitté la scène qu'Alain lui a déjà trouvé une doublure! Mais peut-être se méprend-elle sur ses intentions? Sans doute a-t-il simplement voulu la rassurer? En un sens, il y est à demi parvenu. Car, pour ne pas laisser le champ libre à son envahissante voisine d'en haut, Ariane est prête à s'accommoder de la première Manon venue.

Encore faudrait-il que la fille daigne se présenter au rendez-vous. Elle a déjà dix minutes de retard, et Ariane commence à avoir grand-faim. Si elle ne se retenait pas, elle irait se confectionner une tartine de Nutella à la cuisine. Mais il faut qu'elle résiste à cette envie de femme enceinte qui perdure, sinon elle n'arrivera jamais à se débarrasser de ses kilos en trop. Dire qu'à l'heure qu'il est la svelte Dominique doit être en train de s'enfiler petit four par-dessus petit four sans se sentir le moins du monde gênée par l'étroitesse de son fourreau d'emprunt !

Il pleut à verse mais si le tonnerre gronde à la péri-phérie l'orage épargne pour l'heure le centre de la ville qu'envahiront bientôt les couples d'amoureux auxquels se mêleront mes aimables voisins de l'étage au-dessous Alain et Ariane Cousineau se délestant pour un soir de leurs responsabilités de parents Lou et s'ingéniant à retrouver intacte la ferveur des commencements au risque d'en remettre et d'avoir l'air plus vrais que nature car ces deux-là ont une telle foi en la pérennité de leurs personnages qu'ils feraient l'envie des esprits forts tordus ou chagrins qui composent votre clientèle docteur Prével

Ariane et Alain Cousineau ne sont pas du genre à abandonner la scène sous prétexte qu'ils n'ont plus l'âge de jouer les jeunes premiers même s'ils sont recrus de fatigue à force de nuits de veille au chevet de leur petit Lou hurleur

et je les imagine roucoulant de concert tels ces tour-tereaux de La Cage devenus le point de mire de la salle mais si criants de vérité ceux-là que personne ne se serait avisé de rigoler à leurs dépens à part cette fillette prise d'un fou rire nerveux aussitôt réprimé par sa camarade sou-cieuse de ne rien laisser paraître de son émoi devant le spectacle de ce coup de foudre éclatant des heures avant l'orage dans la pénombre d'un café réunissant par hasard

un garçon prénommé Jérôme et Cecilia la petite sham-
pooineuse du salon Clip apparemment ravie d'avoir rendu
son tablier pour quelque raison connue d'elle seule et
d'une dame aux cheveux blond cendré venue semer la dis-
corde et perturber le moral déjà chancelant d'Emmanuel...

Cecilia a suivi Jérôme jusqu'à cette piscine en forme de croissant qu'entoure une haie d'arbustes bien taillés. Chemin faisant, le garçon a évoqué la mer et les énormes rouleaux qui déferlent au pied des dunes de la Caroline du Nord. Il a parlé aussi des rorquals géants qui croisent au large de l'île d'Anticosti et des phoques de Santa Barbara s'ébattant avec les surfeurs. En l'écoutant relater ses souvenirs de vacances, Cecilia s'est dit qu'elle avait dû tomber sur un fils à papa et qu'elle ferait aussi bien de ne pas l'embêter avec le récit de ses petites misères personnelles.

Quand Jérôme l'a interrogée sur ses origines au moment de l'inviter chez lui, elle a menti comme elle fait la plupart du temps dans ces cas-là, puis elle s'est mise à chipoter avec sa cuiller dans son sorbet aux fruits de la passion, jusqu'à ce qu'il ne reste plus au fond de la coupe qu'une gorgée de sirop acidulé.

Cecilia n'est pas une habituée des cafés. Si elle est entrée à La Cage cet après-midi, c'est qu'elle avait vraiment besoin de reprendre son souffle après s'être enfuie du salon de coiffure. Le hasard l'a fait s'arrêter juste en face de la devanture du café ornée de plants d'hibiscus. Peu après son arrivée, Dominique Légaré est entrée à son tour. Emmanuel lui avait fait une tête ravissante, et elle était accompagnée d'un jeune homme qui avait l'air très amoureux d'elle. Il faut dire que Dominique Légaré est une cliente très facile à coiffer. Elle a des cheveux fins mais dociles, et une nuque élancée qui inspire toujours Emmanuel.

Au bout de quelques minutes de soliloque enthousiaste, Jérôme s'est inquiété du silence de Cecilia. Est-ce qu'elle n'avait pas, elle aussi, quelque histoire de vacances à raconter? Et pourquoi arborait-elle ce sourire de sphinx? À quoi (ou à qui) pouvait-elle bien penser, en ce moment par exemple?

«Aux sphinx des lauriers-roses qui ne volent qu'à la nuit tombée...» a répondu Cecilia du tac au tac. Jérôme a paru si déconcerté par sa réponse qu'il s'est tu. Et Cecilia a profité de cet instant de silence pour s'envoler en imagination vers son île des Caraïbes. Un papillon noir épinglé sur une mer turquoise. C'est de cette image qu'elle se souvient quand elle ferme les yeux. Son île vue à vol d'oiseau. Cecilia n'a plus eu l'occasion de survoler la mer depuis ce jour où elle est montée à bord de l'avion d'Air Canada. Elle n'était alors qu'une gamine de sept ans qui mordillait ses nattes sous le regard indulgent d'une dame coiffée d'un chignon blond cendré qui massacrait l'espagnol. C'est son père qui l'avait conduite à la ville et livrée à cette étrangère toute vêtue de blanc. Cecilia n'avait pas compris que la dame ne la ramènerait jamais au village. Elle l'avait suivie sans protester.

D'autant plus que la dame lui avait acheté des anneaux en or comme Cecilia avait toujours rêvé d'en porter. Ensuite, elles s'étaient baignées dans la piscine de l'hôtel – le plus bel hôtel de la ville. Puis, elles étaient montées à la chambre et la dame avait appelé le garçon d'étage pour qu'il vienne chasser les lézards suspendus aux murs de la salle de bains. Cecilia s'était endormie dans un grand lit aux draps immaculés. Le lendemain, elle s'était réveillée tout excitée à l'idée de prendre l'avion pour Montréal.

Ça n'est qu'au bout de quelques semaines qu'elle a commencé à déchanter. Levers et couchers à heures fixes, repas équilibrés, souci maniaque de l'hygiène corporelle, cours privés pour rattraper le retard scolaire, loisirs éducatifs... Un régime auquel Cecilia ne s'est pas très bien adaptée. Si bien qu'elle a fini par se demander pourquoi c'était elle que son père avait choisi d'expédier dans cet enfer blanc? Quand on est la troisième de sept filles, c'est une question qu'il est légitime de se poser...

Sans doute est-ce cette question jamais résolue qui l'a rendue agressive au point que la dame a dû se résigner à la mettre en pension. Cecilia y est restée plusieurs années. Maintenant, elle habite de nouveau chez sa mère adoptive. Jusqu'à cet après-midi, les choses avaient l'air d'aller mieux que par le passé. Cecilia faisait semblant de poursuivre ses études tout en travaillant à mi-temps et la dame paraissait satisfaite de cet arrangement. Comment celle-ci a-t-elle découvert le pot aux roses? Mystère. Après l'esclandre qu'elle est venue faire au salon de coiffure, Cecilia n'osera plus jamais réapparaître devant Emmanuel.

Heureusement qu'elle a fait la connaissance de Jérôme! Et qu'il lui a proposé de le suivre jusque chez lui. À vrai dire, elle aurait suivi n'importe qui n'importe où puisqu'elle n'a plus d'endroit où loger. Non que sa mère adoptive l'ait mise à la porte. Ça, elle ne s'y résoudra jamais, hélas! du moins tant que sa fille sera mineure.

Mais Cecilia a décidé de prendre les devants. Et tant pis si la dame prévient les flics...

Jérôme est gentil en dépit de sa propension à ressasser ses souvenirs de globe-trotter. Malheureusement, c'est encore un adolescent qui vit chez ses parents. Le jeune homme qui accompagnait Dominique Légaré aurait bien mieux fait l'affaire. Mais une ex-shampooineuse aux cheveux crépus n'est pas de taille à rivaliser avec la nuque la plus élégante du salon Clip. Au fond, Cecilia aurait pu plus mal tomber. Ça n'est pas désagréable de se baigner sous la pluie avec Jérôme qui s'amuse à plonger sous elle comme un dauphin. Bientôt, l'orage éclatera pour de bon, et le garçon l'invitera à le suivre à l'intérieur de la maison.

Une maison que Cecilia connaît bien pour avoir fréquenté son sous-sol à l'époque où la vie avec sa mère adoptive la rendait folle... Quel choc elle a eu en découvrant tout à l'heure que le serveur de La Cage habitait la maison du docteur Prével! Jusque-là, elle ne s'était pas informée du nom de famille du garçon. Prével comme son père! Naturellement, elle n'a rien dit. Elle aurait fait demi-tour si elle n'avait appris que le docteur était parti en voyage d'affaires et que sa femme était absente, elle aussi. Le garçon espère que sa belle-mère prolongera son séjour à Ottawa. Et Cecilia se surprend à en espérer autant. Le fils Prével ne ressemble pas au père. Il ne pose pas beaucoup de questions. Maintenant qu'il a brisé la glace en racontant ses souvenirs de vacances, il ne se sent plus obligé de parler tout le temps. C'est un timide. Comme Cecilia. Qui s'entend balbutier un «n... oui» devant sa proposition de rentrer se sécher dans la maison.

Emmanuel a tenu le coup malgré la défection inattendue de Cecilia. Pourtant, il y a eu affluence au salon ce samedi. Mais les clientes en sont toutes ressorties satisfaites. Tant Aimée Bégin-Béland qu'Anne-Marie Benedetti ou que Mireille Racine. Chacune y est allée de son petit numéro. La première jouant les orphelines éplorées malgré son évidente satisfaction à la perspective de reprendre en main l'affaire paternelle, l'autre discourant sur le retour des tendances *seventies* et offrant au petit Pomainville un argument tout trouvé pour dérober ses cheveux d'ange aux ciseaux de Frédéric, et la troisième exprimant sa certitude de passer haut la main son audition grâce à sa tête de sorcière de magazine. Même la dame aux cheveux blond cendré, venue faire enquête sur l'emploi du temps de Cecilia, a loué le savoir-faire du patron du salon Clip et admiré les accroche-cœurs de Dominique Légaré.

Bref, une journée qui se sera somme toute assez bien déroulée, compte tenu du regrettable crêpage de chignon qui a abouti au départ en catastrophe de Cecilia et de la visite inopinée de Françoise Garneau exigeant un traitement d'urgence pour sa tignasse semblable à un ballot de foin. Mais pour en arriver à ce résultat, il aura fallu qu'Emmanuel dépense une quantité folle d'énergie. Or, il n'en a pas à revendre, ces temps-ci...

Depuis l'aube, les malaises n'ont cessé de se succéder. Il y a de bonnes chances pour que *le* test soit positif. Emmanuel s'est efforcé de ne pas y penser pendant qu'il travaillait. Ça n'est qu'après le départ de sa dernière cliente qu'il a craqué. Au point qu'il a fallu qu'il plonge sa demi-brosse sous l'eau du robinet.

Emmanuel s'est ressaisi depuis, quoiqu'il n'ait pas encore trouvé le courage de remonter à son appartement. Il reste à ruminer devant le miroir qui fait face à la chaise où s'assoient ses clientes. Chose certaine, il ne sortira pas ce soir. Il est trop fatigué. De toute façon, il pleut à boire debout, et Jimmy est si furieux de n'avoir pas obtenu le fric réclamé cet après-midi qu'il ne réapparaîtra probablement pas avant plusieurs jours.

S'il avait le quart de la poigne d'Aimée Bégin-Béland, il y a longtemps qu'Emmanuel aurait mis fin à ces tentatives d'extorsion à peine déguisées dont il est trop souvent victime. Mais voilà! il ne sera jamais que le patron du salon Clip, tout juste bon à faire vite, bien et (un peu) moins cher que ses nombreux concurrents du quartier.

Au moment de s'engouffrer dans le taxi qui la conduira à l'hôtel Plaza, Aimée Bégin-Béland entend un rire de jeune fille percer le rideau de pluie qui s'est abattu sur cette fin de journée difficile. Des cris de garçon surexcité se mêlent au rire aigu de la fille. C'est le fils Prével qui profite de l'absence de son père (et de sa belle-mère numéro 2...) pour faire la foire avec la première venue. Aimée les a surpris tout à l'heure par la fenêtre de sa chambre qui donne sur la piscine des voisins. Tandis qu'elle retirait son tailleur pour enfiler un col roulé en lamé sur une jupe de crêpe noir, elle n'a pu se retenir de jeter un coup d'œil sur le jardin des Prével, d'où s'élevait une musique de sauvages. Un couple de jeunes gens à demi nus dansaient sous la pluie battante, comme s'ils avaient été à des kilomètres de toute habitation plutôt qu'à deux pas d'une maisonnée en deuil. À y regarder de plus près, la sauvageonne s'est révélée être nulle autre que la petite shampooineuse du salon Clip qui, ce matin encore, massait le cuir chevelu d'Aimée.

Comment le fils Prével a-t-il pu s'amouracher d'une fille qui, visiblement, provient d'un tout autre monde que le sien ? Et où diable a-t-il bien pu faire sa connaissance ? On imagine mal cette petite moricaude, d'apparence si modeste et de tempérament si réservé, s'introduire dans le cercle fermé des enfants gâtés du quartier. Aux dires d'Emmanuel, personne ne l'a jamais entendue rire depuis qu'elle travaille au salon. Et la voilà, aujourd'hui, qui se trémousse au bord de la piscine avec la même absence de pudeur que l'épouse Prével numéro 3... Pourvu qu'Émile et les garçons n'aillent pas se laisser distraire par ce spectacle à ciel ouvert! Il est vrai qu'ils n'en auront guère le loisir. Avant de s'en aller prêter main forte à Philippe Ravary, Aimée leur a confié la tâche de remettre de l'ordre dans la maison laissée sens dessus dessous par les invités.

Ce brave Émile! Il se sera tout de même montré digne de son beau-père Honoré au cours de cette journée éprouvante. À plusieurs reprises, il a su trouver le mot juste pour rendre hommage au cher disparu. Et au moment de la mise en terre, il a serré entre ses bras le corps secoué de sanglots d'Aimée. Les garçons se seront fort bien comportés, eux aussi, lisant sans trop bredouiller, l'un un passage de l'épître, l'autre un petit texte de son cru assez joliment tourné, ma foi! tous deux donnant un sérieux coup de main au traiteur et à son équipe, dont le service quasi impeccable a été apprécié de la totalité des convives.

Bref, chacun aura contribué à faire des funérailles d'Honoré Bégin une réussite. Lui-même aurait pu utiliser cette formule paradoxale, car le président fondateur de la maison Bégin a toujours su reconnaître l'excellence, en quelque matière et de quelque manière qu'elle s'exprime, et il aurait certainement apprécié l'ordonnance sans faille de la cérémonie funèbre et de la réception qui s'en est suivie. Même le ciel a salué le départ du grand homme en lui faisant l'hommage d'un radieux soleil d'été. Un soleil qui a brillé de tous ses feux jusqu'à cet instant atroce où l'aîné de ses petits-fils, observant le rituel démodé exigé par son grand-père, a recouvert d'une pelletée de terre le cercueil en bois précieux. C'est à ce moment que l'astre a disparu derrière un épais nuage de pluie. Mais, par une ultime faveur du ciel, l'averse n'a commencé qu'à l'heure du départ des invités.

Après avoir ingurgité force verres de vin destinés autant à noyer leur chagrin qu'à émousser leur sentiment d'avoir été lésées, les sœurs d'Aimée sont parties les dernières, la larme à l'œil et le pas mal assuré, enfin disposées à s'incliner devant les dernières volontés paternelles, c'est-à-dire à reconnaître en leur aînée l'unique héritière de la maison Bégin.

Tout se sera donc parfaitement déroulé, au-delà même des espérances d'Aimée. Seule l'absence injustifiée de certaines personnalités des médias et de la scène politique aura quelque peu terni l'éclat de la cérémonie. Quant aux membres de la profession – qui n'ont pas daigné suspendre pour une petite heure la tenue de leur assemblée annuelle –, ils trouveront, ce soir, l'occasion de réparer leur affront.

C'est cette défection massive de ses pairs qui a incité Aimée à revenir sur sa décision. Comment laisser à des subordonnés le soin de recevoir les condoléances (et les excuses...) attendues ? Surtout quand l'une de ceux-là est une tire-au-flanc notoire, dont les jours au sein de la

maison sont comptés. Dominique Légaré!... Ce cher
Philippe a commis une bourde de taille en lui proposant
de l'accompagner. Mais, débordé par les événements des
derniers jours, sans doute s'est-il contenté de lancer
l'invitation au hasard.

Naturellement, Aimée ne compte faire qu'une brève
apparition dans les salons de l'hôtel Plaza. Sinon, elle
risque de s'effondrer – et cela, devant le gratin de la profession –, comme Émile l'en a aimablement prévenue :
«C'est à peine si tu tiens sur tes jambes, ma chère Aimée.
Tu devrais te mettre au lit et t'en remettre à ce monsieur...
Savaria?... Oh! Ravary, excuse-moi... Un homme de confiance, ce monsieur Ravary, c'est toi-même qui me l'as
dit, et plus d'une fois...»
    Bien qu'Aimée n'ait guère l'habitude de suivre les
recommandations de son mari, elle a promis de ne s'absenter qu'une petite heure, histoire de recueillir les
témoignages de sympathie qui lui sont dus et de faire
savoir à tous ceux qui l'ignoreraient encore que c'est
entre ses mains, désormais, que reposent les destinées de
la maison Bégin. De toute façon, les plus malintentionnés
des membres de la profession seraient capables d'interpréter sa présence parmi eux comme un manque de piété
filiale à l'égard d'un défunt que l'on vient tout juste de
mettre en terre. Ces gens d'affaires peuvent être d'une
telle mesquinerie quand ils le veulent!
    Émile est allé jusqu'à proposer à son épouse de
l'accompagner à la soirée. Aimée a bien sûr refusé. Inutile
de s'encombrer d'un garde du corps, puisque Philippe
Ravary, l'homme de confiance de la nouvelle présidente,

veillera comme d'habitude à son bien-être. Revenant à la charge, Émile s'est offert à la conduire en voiture jusqu'à l'hôtel et à revenir l'y chercher, une heure plus tard. Réflexion faite, Aimée a préféré le taxi.

Sans doute a-t-elle eu tort. Car, à l'heure qu'il est, elle ignore si elle sortira vivante de cette berline pilotée par un chauffard d'origine inconnue, qui roule à tombeau ouvert au travers d'avenues qu'il connaît à peine. Non qu'Aimée Bégin-Béland soit raciste, Dieu et son défunt père Honoré l'en préservent! mais il semble que chaque fois que ses obligations professionnelles l'amènent à se déplacer en taxi, elle ait la déveine de tomber sur l'un de ces immigrés si fraîchement débarqués qu'ils continuent de se comporter comme s'ils se trouvaient au volant de quelque guimbarde pétaradante qui se fraye un chemin à coups de klaxon parmi les ânes et les vélomoteurs encombrant la chaussée des rues du Caire ou de Port-au-Prince.

Au moment où Aimée s'apprête à admonester son chauffeur, la voiture freine au milieu d'une flaque d'eau, éclaboussant quelques-uns des invités qui se pressent à la porte de l'hôtel Plaza. Apparemment, ce cher Philippe n'est pas du nombre, sinon il se serait déjà porté au secours de sa patronne Aimée, forcée de s'extirper seule de cette satanée berline dont la portière s'ouvre sur une mare fangeuse. Mais voilà qu'un tout jeune homme n'appartenant vraisemblablement pas au personnel de l'hôtel (quelque représentant de la presse sans doute?) se déleste de son appareil photo qu'il confie à sa compagne et vient tirer la passagère de ce mauvais pas. Aimée gratifie le chauffeur d'un pourboire qu'il n'a pas mérité, empoche le reçu de sa course et se cramponne au bras du garçon.

« Étienne Garneau, photographe », se présente le jeune homme. « Enchantée! Aimée Bégin-Béland, présidente-directrice générale des éditions Bégin. J'imagine que c'est la presse qui vous envoie... » commence Aimée qu'interrompt l'éclat d'un flash crépitant dans sa direction. C'est la compagne du photographe, qui utilise avec un sans-gêne pour le moins surprenant l'appareil dont elle a la garde. Escortée du garçon qui s'abstient de commenter l'incident, Aimée se dirige vers le porche de l'hôtel. À quelques pas de l'auvent de toile où s'est abritée la fille, elle trébuche dans une flaque d'eau. Son galant compagnon lui tend encore une fois le bras, mais elle ne s'en empare que pour s'en dessaisir aussitôt. Sa stupéfaction est telle qu'elle demeure clouée sur place au risque d'abîmer ses escarpins de chevreau. Cette fille, qui joue les paparazzi avec autant de brio qu'elle incarnait, ce matin, le rôle de casse-pieds qui lui sied si bien, c'est Dominique Légaré. Décidément, la demoiselle a tous les culots! y compris celui de s'exhiber en compagnie d'un jeune homme de plusieurs années son cadet. Qui eût cru qu'un aussi charmant garçon pût se retrouver en aussi désagréable compagnie?...

«Étienne Garneau, photographe de presse!» Jusqu'à ce soir, Étienne n'avait jamais songé à exercer pareil métier. Une voie toute tracée où s'engager pourtant, puisque la plupart des invités le prennent spontanément pour tel depuis son arrivée à l'hôtel Plaza. Train-train journalier et salaire confortable à la clé. Voilà qui correspondrait tout à fait à la vision étriquée qu'Anne-Sophie se fait de la vie d'artiste. Et Françoise serait enfin libérée de ses inquiétudes quant au futur gagne-pain de son rejeton. Peut-être Étienne tirerait-il, lui-même, quelque profit de l'expérience? D'après ses profs à l'université, il n'y aurait rien de mieux pour se faire la main que de se colleter, jour après jour, avec des sujets imposés et des heures de tombée.

Mais Étienne Garneau n'est pas du genre à se plier à une discipline autre que la sienne. Oh! il pourrait toujours faire l'effort de s'en accommoder pendant quelque temps, à condition bien sûr de travailler comme *freelance*. Chasseur d'images pour le compte d'un magazine de prestige? *Of course!* Gâcheur de pellicule au service d'un quotidien quelconque? Jamais de la vie!

C'est ce qu'il expliquera à Anne-Sophie, s'il trouve enfin le moment de lui passer ce coup de fil destiné (en principe...) à la réveiller. Quant à Françoise, toujours prompte à s'enflammer dès qu'il est question d'avenir, elle ignore tout de cette réunion mondaine à laquelle son fils a été convié, et il vaut mieux qu'elle continue de n'en rien savoir, sinon elle serait capable d'en profiter pour revenir une énième fois à la charge.

« Tu ne vas tout de même pas cracher d'avance sur une proposition qui ne t'a pas encore été faite mais qui pourrait l'être bientôt... Si j'avais été à ta place, j'aurais su me débrouiller pour faire la connaissance de gens intéressants... Et je n'aurais pas mis longtemps à me débarrasser de cette poseuse qui n'a sûrement pas grand-chose à raconter... En voilà une dont on se demande ce qu'elle peut bien avoir à faire à une soirée comme celle-là ?... » Et patati et patata ! nul besoin d'entendre le sempiternel rabâchage maternel pour s'en faire fidèlement l'écho.

Pauvre Françoise ! À voir la tête qu'elle fait sur les planches de contacts que son fils a tirées tout à l'heure, on ne donnerait pas cher de son avenir. Sentimental, s'entend. Si Eduardo ne rapplique pas dans les vingt-quatre heures, Étienne en sera quitte pour l'une de ces séances de déballage intime dont sa mère est coutumière. Car Françoise a toujours pris plaisir à raconter par le menu ses histoires de cœur. Mais les faux départs d'Eduardo exacerbant encore ce besoin irrépressible de s'épancher, elle est devenue peu à peu la proie d'une sorte de délire érotomane, de telle sorte que le fils n'ignore rien de l'art et de la manière qu'a l'hidalgo de baiser sa maman. Il semble qu'au fur et à mesure qu'elles prennent de l'âge les bonnes femmes perdent toute pudeur.

Une hypothèse qu'Étienne vient de vérifier en se portant à la rescousse de l'entreprenante présidente-directrice générale des éditions Machin. Une dame au faciès énergique, et qui n'aurait pas hésité à apostropher le portier du Plaza si le photographe n'avait décidé de lui prêter un bras secourable juste avant qu'elle ne commence à s'énerver. Non qu'il soit dans ses habitudes de servir de bâton de vieillesse aux rombières endimanchées! mais celle-là paraissait si handicapée par sa tenue de gala – des souliers fins chaussant des pieds enflés par la canicule et une longue jupe de crêpe noir emprisonnant un cul large comme une assiette –, qu'il s'en serait fallu de peu qu'elle ne se noie en enjambant la flaque d'eau qui s'étendait devant la portière du taxi. La galanterie d'Étienne n'a été hélas! que trop payée de retour... Telle une vieille bique privée de chair fraîche depuis une décennie, sinon davantage, la dame en a profité pour se serrer si étroitement contre le flanc de son sauveteur qu'il a failli se trouver mal, tant le *Poison* qu'elle exhalait était virulent. C'est Dominique Légaré qui a mis fin à cette scène grotesque en usant de l'appareil photo d'Étienne comme d'une arme offensive. Furieuse de s'être laissé mitrailler de la sorte, la présidente a échangé quelques remarques aigres avec sa correctrice en chef avant de s'éloigner en clopinant sur ses talons aiguilles. Car Aimée Bégin-Béland s'est révélée être cette patronne honnie, à laquelle Dominique avait fait une brève allusion au cours de l'après-midi. Mais rien d'étonnant au fond à ce qu'il n'y ait pas d'atomes crochus entre les deux femmes. Aucun P.D.G. n'endurerait sans se plaindre l'attitude je-m'en-foutiste d'une Dominique Légaré. Surtout pas cette présidente-là qui n'est pas du genre à materner son personnel, même si elle sait se montrer avenante avec les jeunes gens. D'ailleurs, Étienne a l'intention de la relancer

181

avant la fin de la soirée. D'abord, parce qu'il se pourrait bien que la maison d'édition Machin s'intéresse à son projet de livre d'art. Ensuite, parce qu'il braquerait volontiers son objectif sur ce gendarme en jupe de crêpe qui ferait un excellent sujet. La dame ne refusera certainement pas cette faveur à un professionnel tel qu'Étienne Garneau. Les bonnes femmes de cet âge-là font souvent mine de fuir les photographes, alors qu'au fond elles ne demandent pas mieux que de se laisser prendre...

« Étienne Garneau, photographe de presse. » Grâce à ce mot de passe qu'il suffit de glisser dans la conversation au moment opportun, le chasseur d'images évolue avec aisance parmi la faune rassemblée dans le salon Saint-Denys-Garneau de l'hôtel Plaza. La fête ne fait que commencer. Des garçons aux bras chargés de plateaux offrent champagne et bouchées fines aux invités réunis en petits comités. De longues tables ont été dressées dans l'immense salle à manger qui accueillera les convives tout à l'heure. Le repas sera sans doute précédé ou suivi de discours, puisque des microphones ont été installés sur l'estrade qui surplombe le minuscule espace circulaire réservé aux danseurs. Tout cela promet d'être aussi rasoir que le bal de finissants auquel Anne-Sophie avait traîné Étienne, le printemps dernier.

C'est d'ailleurs ce que Dominique Légaré a l'air, elle aussi, de penser. De toute évidence, elle en a marre de faire le pied de grue devant un trio de brillants causeurs qui n'ont que faire de sa présence. Il n'y a pas cinq minutes pourtant, elle tenait le crachoir à l'un de ses collègues de bureau, un dénommé Ravary qui paraissait entièrement sous le charme. Drôle de personnage que cette Dominique Légaré! Avec elle, on ne sait jamais à quoi s'attendre. Elle peut rester sur son quant-à-soi des heures durant, aussi bien que sortir de ses gonds sans raison apparente.

Cet après-midi par exemple, elle a commencé par rivaliser d'esprit avec Normand Petit, l'inénarrable libraire du boulevard Saint-Joseph. Mais une fois attablée à La Cage, elle a perdu d'un seul coup la verve désinvolte qui l'avait animée jusque-là, de sorte qu'Étienne s'est vu contraint de faire à lui seul les frais de la conversation. Au moment de s'en aller toutefois, elle a retrouvé un peu de la légèreté d'humeur qu'elle avait manifestée au début de leur tête-à-tête – cet air de ne pas y toucher qui seyait si bien à sa petite robe d'été. Dommage qu'elle ait troqué ce bout de chiffon orangé contre le fourreau pailleté qu'elle arbore ce soir! Quand elle est apparue costumée ainsi, Étienne a bien failli ne pas la reconnaître. Prévenant tout commentaire de sa part, elle a préféré se tourner elle-même en dérision. «Dominique Légaré a revêtu ses atours de femme de rêve, mais faute de carrosse pour la conduire au bal, la voilà maintenant trempée comme une soupe et forcée de se refaire une beauté...»

«On croirait entendre Normand Petit délirer!» s'est exclamé Étienne qui n'avait encore jamais entendu Dominique s'exprimer à la troisième personne. Mais elle s'était déjà engouffrée à l'intérieur de l'hôtel, d'où elle n'est ressortie qu'au bout d'une demi-heure.

Étienne arpentait le trottoir en prenant des photos des invités quand sa partenaire de la soirée lui a fait signe de venir la rejoindre sous la marquise. Elle était tout sourire, à ce moment-là. L'instant d'après, ses yeux, ombrés d'un camaïeu de gris qui en avivait l'éclat, lançaient des éclairs. Au même moment, la présidente Machin faisait son apparition. S'il avait pu établir une relation de cause à effet entre les deux événements, Étienne se serait peut-être abstenu d'aider la dame à descendre de son taxi. Histoire de ne pas jeter d'huile sur un feu déjà trop bien nourri. Mais Dominique a profité de l'incident pour se payer la tête de sa patronne tout comme elle l'avait fait, au début de l'après-midi, de celle de Normand Petit. Si bien qu'en rendant son appareil à Étienne, elle avait les yeux pétillants d'une gamine toute fière d'avoir fait un mauvais coup.

Un geste spontané, qu'un chasseur d'images aussi dénué de scrupules qu'Étienne Garneau serait bien malvenu de condamner, puisque lui-même se passe assez souvent du consentement des proies qu'il capture. Dominique, entre autres sujets de prédilection, a été plus d'une fois victime de ce procédé.

Peut-être ces intrusions dans sa vie intime donnent-elles à l'évanescente Dominique Légaré l'impression d'exister? Bien qu'il ait évité d'aborder trop ouvertement un sujet aussi piégé, c'est ce que le photographe a cru déduire du discours rempli de paradoxes qu'elle tient sur elle-même. Car la Voyeuse – ainsi que l'avait surnommée Étienne, jusqu'à ce que le dingo des Belles-Lettres ne les présente l'un à l'autre – cultive une sorte de mystère qui lui tient lieu d'identité. À tel point qu'au terme de longues heures passées en sa compagnie le chasseur d'images s'interroge encore sur l'étonnante confusion de sentiments qui se dissimule derrière le masque d'indifférence que Dominique Légaré affiche si complaisamment. Une ambiguïté qui vaut bien le parti pris d'authenticité qu'affectent si platement Françoise et Anne-Sophie. Après tout, une muse ne se doit-elle pas d'exciter constamment la curiosité de l'artiste qu'elle inspire?

À force de s'interroger sur la personnalité de Dominique Légaré, Étienne a fini par perdre de vue l'objet de ses réflexions. Il semble en effet que la muse du photographe se soit volatilisée. C'est elle qui a pris l'initiative de prolonger le tête-à-tête amorcé cet après-midi. Mais, depuis qu'elle a fait son entrée dans le salon Saint-Denys-Garneau, elle le fuit, comme si elle éprouvait de la gêne à se montrer à ses côtés. Qu'à cela ne tienne! Étienne Garneau en profitera pour se prévaloir de son statut de photographe de presse. Car cette soirée n'est rien d'autre en somme qu'un défilé de têtes. Peut-être suffit-il d'en immortaliser quelques-unes parmi les plus célèbres pour accéder soi-même à la célébrité? Celle de la Benedetti par exemple, bien qu'elle soit encore plus moche que ce que la télé permettait de supposer. De toute façon, il semble que la chroniqueuse soit sur le point de s'en aller retrouver sa petite famille au restaurant. C'est en tout cas ce qu'elle ne cesse de claironner depuis son arrivée.

Peut-être Étienne devrait-il en faire autant? À vrai dire, il a une telle horreur de ces soirées qu'il préfère renoncer dès maintenant à ses ambitions de chasseur de têtes. C'est l'art qui l'intéresse, même s'il désespère souvent de son talent. Ce qui ne l'empêche pas d'échafauder projet par-dessus projet. Le plus récent consiste à imaginer une série de photos reliées au thème de la quête d'identité. Un thème traité avec plus ou moins de bonheur par nombre de littérateurs, mais ignoré de la plupart des photographes. C'est Dominique Légaré, ce drôle de personnage, qui lui en a implicitement suggéré l'idée.

Une idée qui s'est précisée quand Étienne a fait la connaissance de Manon, cette grosse fille rencontrée au détour d'un sentier du mont Royal. Quand il lui a demandé de poser pour lui, elle a répondu « han » d'une voix à peine audible. Mais elle ne s'est pas enfuie, elle est restée immobile tandis qu'Étienne tournait autour d'elle, comme si elle avait été une statue ou un monument qu'il aurait voulu photographier sous des angles différents. Le plus dur a été de capter le regard de la fille qui contemplait obstinément le bout de ses bottines. Si bien qu'il a dû recourir à la ruse pour qu'elle consente à lever au moins une fois la tête vers l'objectif. Il s'est efforcé de la faire parler. Mais, hormis son prénom, la grosse fille se contentait de répondre « han » à toutes ses questions. Étienne a tenté de la rassurer en lui expliquant le fonctionnement de son Canon. C'est à ce moment-là qu'elle a tourné son regard de somnambule en direction de l'appareil. Le photographe en a profité pour lui filer sa carte de visite en l'invitant à prendre rendez-vous pour une seconde séance. Elle a tendu la main en balbutiant un dernier « han », puis elle s'en est allée traîner ailleurs ses grosses bottines de bûcheron.

Sans doute Manon ne donnera-t-elle jamais signe de vie. Dommage ! car Étienne aurait aimé répéter l'expérience en se concentrant cette fois sur l'essentiel, c'est-à-dire sur cette espèce de peur panique qui se terre au fond des yeux exorbités de la grosse fille. Encore faudrait-il l'amener à se débarrasser de son accoutrement de *bag lady*, un look un peu trop répandu par les temps qui courent. De toute façon, la série ne gagnerait rien à être centrée sur la figure de Manon : la quête d'identité risquerait alors d'être assimilée au thème rebattu de l'itinérance. D'où la nécessité d'inclure d'autres personnages dans la série. Dominique Légaré bien sûr, mais aussi Normand Petit, Françoise, Mireille Racine, et même cette dame Machin qui semble, elle aussi, plus ou moins à côté de ses pompes malgré ses manières gourmées de présidente.

Il ne reste plus qu'à trouver un titre au dernier-né des projets ébauchés au cours de cette journée particulièrement féconde. Quoiqu'il serait sans doute plus sage d'en terminer d'abord avec *Fin de saison*, commencé il y a une éternité. Ensuite, Étienne pourrait passer à *L'Envie*, un thème inspiré par le personnage de voyeuse qu'interprète à l'occasion Dominique Légaré. À moins qu'il ne propose à Anne-Sophie de servir de modèle pour cette série de nus à laquelle il songe depuis un moment ? Chose certaine, il passera la nuit qui vient enfermé dans sa chambre noire, sinon il ne pourra même pas se faire une idée du travail accompli aujourd'hui. En examinant les planches de contacts qu'il obtiendra, peut-être découvrira-t-il le fil conducteur reliant les uns aux autres les personnages qui figurent au tableau de chasse de ce samedi.

Impossible d'avaler encore une bouchée de cette mar-
quise au chocolat à laquelle j'ai à peine touché et qu'Étienne
Garneau enfourne si goulûment tandis qu'à côté de lui
Philippe Ravary savoure le diplomate nappé de crème
anglaise qu'il a choisi sur les instances de sa présidente
Aimée dont c'est le dessert favori bien qu'elle ait préféré ce
soir s'en priver pour cause d'embonpoint appréhendé

une menace qui se précise au fur et à mesure qu'elle
prend de l'âge car elle a déjà franchi le cap de la cinquan-
taine et elle ne s'en cache pas bien au contraire elle s'en
félicite du moins est-ce ce qu'elle prétend dans le but évi-
dent de s'attirer les protestations des convives réunis au-
tour de la table Bégin où plane l'ombre de l'Honoré fon-
dateur de la maison auquel un distingué orateur vient de
rendre un hommage qui n'a pas eu l'heur de plaire à son
héritière légitime parce que trop bref et d'une insipidité
telle qu'il s'en est fallu de peu qu'Aimée ne monte à son
tour à la tribune achevant ainsi de se couvrir de ridicule
aux yeux de collègues qui n'auraient sans doute pas été
plus dupes de son affliction que ne le sont ses partenaires
de table forcés de subir l'exposé en long et en large du
«plan de redressement» qu'elle a élaboré pour consolider
les assises de la maison dont elle a hérité la direction

toutes mesures qu'approuve avec force hochements de tête ce cher Philippe qui tout à l'heure prêtait une oreille complaisante à mes appréhensions concernant la nouvelle présidente au sujet de laquelle il y a fort à parier qu'elle se montrera encore plus despotique que ne le fut son prédécesseur ce vieux barbon qu'un rien suffisait à faire sortir de ses gonds.

Impossible vraiment d'avaler une bouchée de plus de cette marquise horriblement sucrée pendant que la mère Aimée continue d'entretenir la tablée qu'elle préside des affaires de la maison tout en grignotant du bout des lèvres l'ananas parfumé au kirsch un choix minceur que Dominique Légaré ce personnage que j'incarne avec si peu d'assurance qu'il m'arrive de ne pas même savoir de quoi elle a réellement envie aurait été mieux avisée d'imiter au lieu de suivre l'exemple d'Étienne Garneau le bâfreur de chocolat qui n'arrête pas de s'en mettre plein sa jolie gueule d'artiste accordant de ce fait un répit aux dîneurs lassés de ses rodomontades d'étoile montante de la photographie à l'exception notable de la mère Aimée visiblement tout émoustillée par ce poulain fringant et plein d'avenir qu'elle bichonne du regard sans cesser pour autant de faire les yeux doux à ce cher Philippe dont elle s'est apparemment mise en tête de faire aussi la conquête ce qui explique l'acharnement avec lequel elle a tenté de m'exclure de la fête au sortir de l'église Saint-Viateur à croire ma foi! que la fille n'attendait que la disparition du père pour manifester au grand jour son goût pour les jeunes gens un travers que lui a transmis feu l'Honoré président de la maison Bégin qui a nourri jusqu'à sa mort des ambitions de sugar daddy *en dépit des innombrables rebuffades qu'il a essuyées.*

Impossible de chipoter plus longtemps dans l'assiette cerclée de fil d'or où gisent les reliefs de cette marquise que je refilerais volontiers à mon voisin Étienne ce glouton mais si charmant garçon qui enivre les présidentes sur le retour en leur servant un cocktail de projets si exaltants que j'en suis restée moi-même tout étourdie sur le moment albums expositions reportages de quoi faire tourner la tête de n'importe quelle bonne femme en effet à supposer bien sûr qu'elle soit assez crédule pour croire à ces chimères d'artiste grisé par le succès qu'il anticipe mais qu'il risque de n'obtenir jamais s'il persiste à éparpiller son talent en concevant « série » après « série » sans se soucier d'en compléter aucune ce qui augure mal de l'avenir de mon personnage dont je n'ignore pas qu'il lui a plus d'une fois servi de modèle même si le photographe s'est bien gardé de me le révéler de peur sans doute d'encourir quelque reproche de ma part démontrant par là sa méconnaissance de la muse qui l'inspire et qui ne le demeurera qu'à condition de préserver son mystère
Dominique Légaré une voyeuse invétérée elle aussi à cette différence près qu'elle n'a jamais prétendu faire un art de ce qui n'est en somme qu'une manière de s'assurer qu'elle fait encore partie de l'espèce des vivants auquel elle a si peu le sentiment d'appartenir d'où sa stupéfaction devant ce réflexe de chasseuse d'images qui l'a entraînée à appuyer sur la détente de l'arme imprudemment laissée entre ses mains une manière comme une autre de rendre au photographe la monnaie de sa pièce en l'immortalisant

dans le rôle du garçon charmant se portant au secours de l'orpheline quinquagénaire incapable d'effectuer seule la traversée du Rubicon séparant la portière de son taxi de l'entrée de l'hôtel un portrait de l'artiste en gentilhomme qui ne figurera dans le catalogue d'aucune exposition puisque les épreuves qu'il en tirera lui-même seront fort probablement ratées compte tenu de mon inexpérience en la matière.

Impossible d'en finir avec les restes de cette marquise à demi décomposée quand m'étrangle la peur de laisser dire ou pis encore! agir la doublure qui s'exprime ou s'agite à ma place aussitôt que je lui en laisse le loisir cette Dominique Légaré qui a l'humeur aussi changeante que le ciel de ce jour d'été finissant et que je ferais mieux de tenir à l'œil si j'aspire à continuer de corriger comme une bête ainsi que je le fais depuis plus d'une décennie pour le compte d'une maison qui se soucie comme d'une guigne de mes compétences linguistiques puisque seul lui importe le nombre de titres qu'elle publie bon an mal an la quantité l'emportant de loin sur la qualité de sorte qu'il ne m'est jamais permis de souffler mais tout juste d'ahaner et encore! à condition de le faire avec discrétion

un tour de force que Dominique Légaré a de plus en plus de mal à rééditer malgré les efforts que je fais pour l'empêcher de râler trop fort si bien que je ne serais pas surprise de me retrouver bientôt sur le pavé le «plan» de la mère Aimée comportant certainement quelque mesure conçue spécialement à cette intention j'ignore comment je réagirai quand je recevrai l'avis me signifiant mon congé plutôt mal j'imagine non que je tienne tellement à conser-

ver mon titre de championne maison de la concordance des temps mais bien parce qu'il me faut hélas! gagner ma vie

une vie dont Dominique Légaré ne saura que faire le jour où cesseront d'affluer sur son bureau ces dizaines de manuscrits qu'elle est bien forcée de parcourir à la va-vite puisque chacun porte la mention URGENT signée Aimée Bégin-Béland peut-être devrais-je prendre les devants et partir sans demander mon reste comme Cecilia l'a fait cet après-midi ce ne serait pas la première fois que j'agirais à la légère et ce guignol de Normand Petit ne se priverait pas de me le rappeler tout en profitant de l'occasion ainsi offerte pour proposer à son ex-tout-court un personnage qu'il a créé de toutes pièces pour meubler ses rêveries de vieux garçon quelque petit boulot que je refuserai quand s'abattra sur ma tête de rebelle le couperet de la présidente.

Impossible de refuser mon bras à ce cher Philippe qui m'entraîne maintenant sur la piste de danse où tournoient les couples de valseurs parmi lesquels Étienne Garneau et la mère Aimée l'un enserrant gauchement la taille épaisse de l'autre laquelle a abusé des pousse-café au point d'exhiber son chagrin d'orpheline au vu et au su de ses collègues tandis que vacillent les lumières du lustre suspendu au-dessus de sa tête grisonnante nichée au creux de l'épaule de son partenaire

une panne voilà de quoi réjouir un esprit aussi mal tourné que le mien n'est-ce pas docteur Prével? une panne qui survient juste au bon moment coupant court aux effusions du malotru qui me marche sur les pieds sans même s'en apercevoir ce cher Philippe que j'aurais envoyé

valser depuis longtemps si je n'étais condamnée à rester
telle que je suis c'est-à-dire un personnage à l'humeur
incohérente en dépit des efforts grassement rétribués que
vous déployez pour m'amener à en changer cher docteur
mais ne vous laissez pas distraire par les divagations de
Dominique Légaré docteur c'est à elle-même qu'elle s'ad-
resse en vous interpellant de la sorte car chacun sait que
tandis qu'elle soliloque vous dispensez vos lumières à des
milliers de kilomètres de ce salon Saint-Denys-Garneau
plongé dans l'obscurité où virevoltent les ombres de dan-
seurs qui restent enlacés comme s'ils étaient persuadés que
la fête interrompue allait bientôt recommencer.

LA PANNE

Sans ces éclairs qui répandent leur clarté éblouissante au travers du toit vitré de l'hôtel Plaza, le salon Saint-Denys-Garneau serait plongé dans l'obscurité totale. Figés dans l'attitude où les a surpris la panne d'électricité, les danseurs ressemblent à des automates dont le mécanisme se serait brusquement enrayé. Un très jeune homme soutient une femme d'âge mûr qu'on dirait sur le point de s'effondrer. Le jeune homme sourit. Son sourire mi-railleur mi-embarrassé s'adresse à une autre femme. Mais cette autre femme ne regarde pas dans la direction du jeune homme qui sourit, elle contemple la pointe de sa chaussure qui est restée coincée sous le pied de son partenaire.

Si Étienne n'était lui-même l'un des personnages qui composent ce tableau vivant, il aurait pu en obtenir un cliché saisissant. Sans doute est-il un peu tard pour supputer le temps d'exposition nécessaire à la réalisation d'un pareil exploit. Des dizaines de bougies se sont allumées en même temps qu'un éclairage de secours, tirant les danseurs de la torpeur qui les avait momentanément envahis. Certains regagnent leur table, d'autres attendent que l'orchestre réaccorde ses violons, chacun y allant de son hypothèse personnelle quant à l'origine, la durée et l'étendue probables de l'interruption de courant.

Témoin de l'effervescence générale qui s'est emparée des invités comme du personnel de l'hôtel, Dominique Légaré est le seul personnage qui continue de garder la pose. Elle demeure clouée sur la piste de danse comme si elle avait résolu de ne plus bouger jusqu'à la fin de la panne, tandis que son partenaire s'élance vers Aimée Bégin-Béland qui se dirige d'un pas chancelant vers les toilettes. Sans le secours de son cher Philippe, comment la présidente pourrait-elle espérer se rendre à bon port? Il semble en effet que la malheureuse soit prise d'une irrépressible nausée. Encore heureux qu'elle ait eu la sagesse de se priver de crème anglaise tout à l'heure! Quant au jeune Garneau, il est bien aise d'être débarrassé de la dame qui se vautrait dans ses bras et il se promet de se tenir désormais à distance respectueuse de cette présidente un peu trop entreprenante à son goût.

«Pauvre mère Aimée! si son père Honoré voyait dans quel état elle s'est mise...» soliloque Dominique Légaré qui revient progressivement à elle, tout étonnée de se découvrir pleine d'entrain. Elle ne sent plus du tout la fatigue – cette horripilante fatigue accumulée au fil d'innombrables nuits blanches et qui lui avait fait craindre, ce matin encore, de ne pas réussir à passer au travers de la journée –, plus du tout! elle serait plutôt d'humeur à danser jusqu'à l'aube en se remémorant ses rêves de petite fille de onze ans qui voulait devenir ballerine. Mais pas avec Philippe Ravary, ce lourdaud incapable de diriger sa partenaire ni de se laisser conduire par elle. Peut-être avec Étienne? Le voici justement qui revient vers la piste de danse. Il a repris son appareil qu'il avait

laissé suspendu au dossier de sa chaise. Car il ne désespère pas d'accomplir aujourd'hui quelque prodige digne
des plus grands maîtres de la photographie.

La vieille Xanthos s'est assoupie devant le téléviseur muet qu'éclaire la flamme vacillante d'une bougie. Elle n'a pas pris la peine de retirer sa robe noire, elle en a simplement desserré le col. Les jumeaux ont profité de la panne pour échapper à sa surveillance. Elle a eu beau leur rappeler qu'ils ne seraient pas les bienvenus en bas et répéter *Ohi! Ohi! katse edo!* en élevant le ton, ils ont fait mine de ne pas comprendre un mot de ce qu'elle disait, comme si elle s'était adressée à eux dans une langue étrangère. Enfilant leur chandail du Canadien par-dessus leur veste de pyjama, ils se sont précipités dans l'escalier en imitant ce mugissement de sirène qu'ils font entendre à longueur de journée. L'aïeule s'est signée comme au temps du couvre-feu. Bougeoir à la main, elle a fait les cent pas en égrenant son chapelet, trébuchant contre les planches à roulettes des jumeaux et accrochant au passage le laurier-rose que sa belle-fille a déterré du jardinet de peur que la pluie ne se transforme en grêle au cours de la nuit, puis elle s'est assise dans son fauteuil préféré où elle s'est endormie tout habillée en se remémorant d'anciens souvenirs. Le mari disparu en mer, le frère aîné parti en éclaireur au Canada et qui envoie des mandats une fois par mois, la longue traversée en paquebot qui les a conduits, elle et les enfants, jusqu'à cet appartement qu'envahit l'odeur de friture du restaurant situé à l'étage au-dessous.

La vieille dame rêve. Elle rêve à un petit port de mer ensoleillé où s'assemblent autour de barques débordant de poulpes et de poissons luisants des jeunes filles coiffées de foulards bariolés. Et elle s'apprête à courir au-devant de son fiancé, quand s'élève du rez-de-chaussée un fracas de verre brisé presque aussitôt suivi d'une explosion de cris et de pleurs qu'enterre l'éclat d'un coup de tonnerre retentissant.

Sans doute les jumeaux auront-ils voulu se rendre utiles à la cuisine où s'affaire la tribu Xanthos, débordée par une affluence telle qu'elle en a vu rarement, même un samedi soir. À croire que tous les habitants du quartier se sont donné rendez-vous chez le Grec de l'avenue du Parc pour pallier les inconvénients de la rupture de courant survenue à l'heure du repas. Ce qui n'est pas bien sûr pour déplaire au patron du restaurant, tout heureux d'accueillir de nouveaux clients comme d'en retrouver d'anciens qu'il n'avait pas revus depuis un moment, tel le jeune couple de la table sept, des habitués qui n'avaient pas donné signe de vie depuis la naissance de leur bébé. Dommage qu'ils ne l'aient pas emmené! La tribu lui aurait fait la fête. Quoique avec l'agitation qui règne ici ce soir, il vaut sans doute mieux que le petit ange soit resté à la maison où il peut dormir tranquille.

Ariane Cousineau n'a pas fait une seule allusion à la tournée de l'orchestre. Alain non plus. Pas question de gâcher la soirée en revenant une fois de plus sur un sujet dont ils ont déjà fait cent fois le tour. C'est ce qu'ils se sont mutuellement promis en entrechoquant leur verre d'ouzo au début du repas.

Ils s'étaient juré aussi de s'abstenir de parler de petit Lou. Mais cette promesse-là s'est vite révélée impossible à tenir. Il a suffi qu'un petit garçon, blond et bouclé, s'installe à la table voisine pour qu'ils se remettent à discuter de coliques et de biberons, ainsi qu'ils le font nuit et jour depuis la naissance du bébé.

Le petit garçon avait l'air ravi de se retrouver en tête-à-tête avec son père. Il a réclamé des calmars frits « mais sans le riz qui vient avec... », puis il a improvisé un drôle de jeu consistant à mettre son Papou sur la sellette, comme l'aurait fait un journaliste d'un personnage public.

« Papou Pomainville, pourquoi elle te plaît tellement, ton Anne-Marie? Moi, je préfère maman Josée. Anne-Marie arrive toujours en retard. Peut-être qu'elle viendra pas? Elle trouve ça SINISTRE! les restos grecs de l'avenue du Parc. C'est elle-même qui l'a dit au coiffeur, cet après-midi. Elle parlait très fort comme d'habitude et elle a dit : "Ces restos grecs de l'avenue du Parc, c'est SINISTRE ! mais mon chum et ses enfants, eux, ils adorent...»

«Pourquoi c'est toi, le chum d'Anne-Marie, Papou Pomainville? Moi, je la trouve SINISTRE! "l'Anne-Marie". C'est Noémie qui l'appelle comme ça pour faire rire Sara. Pourquoi elle est pas venue, Noémie? Elle aimait mieux aller manger chez Sara, c'est ça, hein? C'est la fête de la mère de Sara, ce soir. Elles vont boire du champagne. Noémie en a piqué une bouteille à la cave. Moi, j'ai pas été invité. Mais c'est pas grave, Papou. Comme ça, on est entre hommes. C'est bien, non? Pourquoi tu dis rien, Papou Pomainville?... Sara, elle aura pas assez de sous pour partir en voyage avec nous, l'été prochain. Tu pourras lui en prêter, Papou? Anne-Marie dit que tu gagnes beaucoup d'argent. C'est vrai, Papou?»

Tout en jetant de fréquents coups d'œil vers la porte d'entrée du restaurant, le Papou a répondu patiemment aux questions du fiston, les plus sérieuses comme les plus saugrenues. Le jeu s'est poursuivi jusqu'à l'arrivée d'Anne-Marie Benedetti. Dès qu'il l'a aperçue, le petit garçon s'est retranché dans un silence boudeur.

Alain et Ariane n'ont eu aucun mal à reconnaître la voix claironnante de la célèbre chroniqueuse. «Désolée, Bernard! s'est-elle exclamée en retirant son imper Dior. Si tu avais vu la foule qu'il y avait au Plaza!... Du beau monde, des raseurs. Surtout des raseurs. Impossible de leur échapper. Tu vois le topo? Ils te coincent, ils te filent un verre, puis ils se mettent à te faire l'article à n'en plus finir. Résultat : à l'heure des discours, j'étais encore aux prises avec l'un de ces casse-pieds, un enquiquineur de première qui s'acharnait à décrocher un passage télé pour son poulain. Ensuite, politesse oblige, j'ai dû me taper en entier l'éloge funèbre du vieux Bégin. SINISTRE! C'est la panne de courant qui m'a sauvée. J'ai pu m'éclipser, sauter dans un taxi et accourir vers vous, mes chéris. Ouf! Si vous saviez ce que j'en ai marre d'être toujours à la course. C'est ce boulot de dingue qui veut ça. Vous avez bien fait de commencer sans moi. Alors, ils étaient bons, ces calmars, Raphaël? Parle plus fort, ma puce, j'entends rien.»

« SINISTRE!» s'écrie le petit garçon, faisant s'esclaffer les convives de la table d'à côté, qui entonnent à l'unisson leur refrain favori. «Quand petit Lou sera grand, lui aussi raffolera des calmars frits, lui aussi bombardera papa et maman Lou de "pourquoi", lui aussi...»

Et s'il arrivait quelque chose à petit Lou avant qu'il ne devienne grand? Si quelque chose était en train de lui arriver en ce moment même? C'est ce qu'Ariane Cousineau se retient de répondre à Alain qui lui demande à quoi elle pense. Il dirait qu'elle s'inquiète pour rien. Que petit Lou est en bonnes mains. Que la grosse fille qui veille sur lui se débrouillera très bien. Qu'elle est un peu timide comme le sont souvent les grosses filles qui viennent d'arriver en ville. Qu'elle a été recommandée par Dominique Légaré. Que... Bref, il répéterait encore une fois ce qu'il a répété à plusieurs reprises au cours de la soirée.

N'empêche que cette Manon s'est présentée avec une

demi-heure de retard, qu'elle avait un drôle de regard et qu'elle portait un drôle de sac à dos qui paraissait très lourd. Quand Ariane lui a montré la chambre où dormait petit Lou, la grosse fille a paru s'intéresser davantage au mobile qui tournoie au-dessus du lit qu'au bébé lui-même. En ressortant, elle s'est arrêtée devant la table à langer. Elle a demandé à quoi servait le bassin de plastique rangé sur le dessus de l'étagère placée juste à côté. Elle a paru médusée d'apprendre qu'il s'agissait de la baignoire de petit Lou. On aurait dit qu'elle n'était jamais entrée dans une chambre d'enfant.

Peut-être elle et petit Lou sont-ils plongés dans le noir depuis le début de la panne? Alain dirait qu'Ariane est ridicule. Que cette fille n'est ni aveugle ni manchote. Qu'elle ne peut pas ne pas avoir remarqué le chandelier à trois branches qui trône sur la table de la salle à manger. Qu'il y a des pochettes d'allumettes qui traînent un peu partout. Qu'en cherchant un peu elle finira bien par dénicher une lampe de poche. Que...

N'y tenant plus, Ariane court vers le téléphone sans se donner la peine d'en informer Alain. Elle compose son propre numéro. La ligne est occupée. La grosse fille est certainement paniquée. Peut-être essaie-t-elle de joindre le restaurant Xanthos? Il vaudrait mieux rentrer tout de suite. D'ailleurs, Ariane est épuisée. Alain sera d'accord. Même s'il s'efforce de n'en rien montrer, lui aussi est épuisé.

Ariane regagne sa place au moment où le patron du restaurant apporte deux verres de Metaxa. Cadeau de la maison. Alain propose de trinquer à la naissance du bébé.

Ariane n'ose pas avouer qu'elle veut partir illico. Qu'elle en a assez de ce resto bruyant et enfumé. Qu'elle n'en peut plus d'entendre la voix haut perchée de la Benedetti. Qu'elle est sûre que le tonnerre a réveillé petit Lou. Qu'il hurle de terreur. Qu'il a peur de cette grosse fille inconnue qui se penche au-dessus de son lit. Alain dirait qu'elle radote. Qu'elle le fait exprès. Que...

Ariane avale d'un trait son verre de Metaxa. Elle n'aurait pas dû. Alain vient de faire signe au patron. Au lieu de réclamer l'addition, il commande d'autres digestifs. Le patron délègue ses petits-fils, des jumeaux d'une dizaine d'années qui s'avancent avec précaution, l'un transportant une carafe d'eau, l'autre, deux petits verres de liquide ambré.

Alain porte un nouveau toast. «À maman Lou, à papa Lou, à nous!» s'exclame-t-il sur un ton mi-moqueur mi-ému. Le rire strident de la Benedetti résonne comme un signal d'alarme. Mais personne n'y prête attention. Pas même ce petit garçon blond et bouclé qui s'est endormi sur les genoux de son Papou.

Françoise Garneau promène le faisceau de sa lampe de poche sur les deux planches de contacts que son fils a épinglées au-dessus de la cuve à développement. C'est le puzzle de sa rupture avec Eduardo qu'elle a sous les yeux. Elle, qui n'a cessé tout le jour de repasser la scène dans son esprit, se voit forcée de la reconstituer de nouveau, telle qu'elle lui apparaît maintenant, fragmentée en soixante-douze petits rectangles de papier glacé qu'elle scrute tout en tâtonnant le long des étagères à la recherche d'une loupe ou de quelque autre instrument grossissant. Est-ce Eduardo, cet homme qui ne cesse de fuir, image après image, sans se retourner une seule fois vers la femme aux cheveux filasse, effondrée sur une marche d'escalier? Oui, c'est bien lui, impossible de s'y méprendre. Cet homme qui marche comme un hidalgo, tête haute et reins cambrés, comme s'il ne sentait pas du tout le poids de la valise qu'il tient à la main, c'est Eduardo. Et cette femme qui enfouit son visage défait dans sa tignasse décolorée, c'est Françoise. Oui, c'est bien elle, Françoise Garneau! nul besoin d'une loupe pour s'en persuader. Et cette femme échevelée qui s'agrippe au pan de la chemise ouverte du fugitif avant de se laisser choir sur une marche d'escalier, c'est encore elle, Françoise Garneau. Voilà ce qu'est devenue l'ex-militante féministe des années soixante-dix : une femme vêtue d'une chemise de nuit et qui sanglote dans ses cheveux, telle une concubine trop âgée que son seigneur aurait répudiée.

Le señor Eduardo est un chasseur-né. Il va et vient entre les bars du centre de la ville et la ruelle de l'avenue du Parc. D'ordinaire, il ne rentre qu'au petit matin, une bouteille de mauvais vin chilien ou une gerbe de roses à la main, des roses trop épanouies qu'il a grappillées dans quelque bar ou hôtel du centre de la ville et qu'il jette sur le lit comme une obole. Parfois, il disparaît des jours entiers. Mais il revient toujours. Françoise l'attend en dressant la liste de ses griefs et conditions. Jusqu'à ce qu'il resurgisse au milieu de la nuit et qu'il se coule doucement dans le lit. Françoise flaire son corps comme une chienne. Elle crie, elle pleure, elle gémit. Ensuite, elle dit merci. Ou pardon, quand c'est elle qui a provoqué la rupture...

Peut-être est-ce ce qu'elle a fait aujourd'hui? Elle ne s'en souvient plus. Mais ces soixante-douze fragments de pellicule resteront à jamais imprimés dans sa mémoire. Grâce à ce fils qu'elle a élevé toute seule et qui se conduit comme un chasseur, lui aussi – un chasseur qui braque son appareil sur sa propre mère –, Françoise sait désormais à quoi elle ressemble. À une femme qui se voile le visage pour dissimuler ses larmes. Et elle a horreur de ce portrait de Françoise Garneau reniflant dans sa tignasse ébouriffée l'odeur du maître qui l'a délaissée. Si Eduardo revient, elle ne lui laissera pas le temps de se glisser entre les draps, elle le flanquera à la porte. Définitivement. Peut-être l'hidalgo a-t-il quitté la ville? Les fins de saison lui donnent toujours envie de voir du pays.

Mais il semble que le señor Eduardo n'ait eu que quelques pas à faire pour lever le gibier. Du moins est-ce ce que révèlent les dernières épreuves d'Étienne que Françoise examine en maudissant la panne de courant qui sévit depuis qu'elle est entrée dans la chambre noire de son fils. Qu'est-ce que cette bonne femme, déguisée en bohémienne, qui entraîne Eduardo dans son sillage? On dirait Mireille Racine, la starlette de la ruelle de l'avenue du Parc. Oui, c'est bien elle, c'est Mireille Racine, qui a revêtu ses oripeaux de gitane pour mieux ensorceler les hidalgos du voisinage. L'ultime petit rectangle, le numéro soixante-douze, montre sa crinière rousse qui flotte derrière elle comme une oriflamme. Comparée à elle, Françoise Garneau a l'air d'un épouvantail.

Depuis qu'elle est passée chez le coiffeur à la fin de l'après-midi, elle a l'air d'une dame. Ce qui ne vaut guère mieux. Eduardo n'a pas beaucoup de goût pour les dames. Sauf pour les dames riches peut-être?... Il préfère les filles. Comme Mireille Racine. Qui est la mère d'une gamine de douze ans. Mais qui s'arrange pour continuer d'avoir l'air d'une fille. Contrairement à Françoise Garneau. Qui n'a plus l'air d'une fille depuis belle lurette. Mais qui n'a pas vraiment l'air d'une dame non plus. Qui a l'air d'un épouvantail. Même avec sa nouvelle tête...

Si Françoise s'écoutait, elle passerait la nuit dans la chambre noire de son fils. Elle ne sait pas à quelle heure Étienne rentrera. Elle ne sait même pas où il est allé. C'est ce qu'elle a passé la journée à répéter au téléphone. À Anne-Sophie qui a appelé cinq ou six fois. À d'autres filles aussi, qui n'ont pas laissé de message.

Et voici que la sonnerie retentit encore. Cette fois, Françoise ne répondra pas. Si c'était Eduardo?...

Françoise se précipite vers l'appareil en songeant à ce qu'elle dira à son señor. Elle lui dira qu'elle comprend. Qu'elle a reconstitué le puzzle entier. Qu'elle a vu à quoi elle ressemblait. Qu'elle sait qu'elle n'a pas l'air d'une fille ni d'une dame riche. Qu'elle a l'air d'un épouvantail. Qu'elle restera comme elle est. Qu'elle n'a pas envie d'aller chez le coiffeur tous les samedis ni de s'enduire, matin et soir, le visage de crème antirides. Que c'est à prendre ou à laisser...

Mais c'est une voix féminine qui s'exprime au bout du fil. Encore une fille qui veut parler à Étienne. Françoise répète ce qu'elle a répété toute la journée. La fille fait «han». Puis elle raccroche sans dire au revoir. Celle-là non plus n'a pas laissé de message. Elle avait une drôle de voix. Une voix sans timbre de fille folle ou désespérée.

C'est Cecilia qui a voulu entrer dans le cabinet du docteur Prével. Une fois à l'intérieur de la pièce où tournoyaient encore les pales du ventilateur suspendu au plafond, elle s'est étendue sur le divan et elle a fermé les yeux. Jérôme a d'abord cru à une plaisanterie. Il s'est assis dans le fauteuil de son père en s'efforçant d'imiter les tics et mimiques paternels.

« Qu'est-ce que vous ressentez en ce moment ? Comment vous sentez-vous, là, maintenant, sur ce divan où vous êtes allongée ?... » a-t-il commencé d'un ton distant mais pénétré, griffonnant d'une main sur son bloc-notes, triturant de l'autre une barbichette imaginaire. Au bout d'un interminable moment de silence qu'il s'est bien gardé d'interrompre, Cecilia a fondu en larmes. Maudissant son comportement infantile de fils à papa, Jérôme n'en a pas moins continué de jouer au docteur, pointant le doigt vers la boîte de kleenex opportunément placée sur la console qui jouxte le divan.

Cecilia s'est mouchée à plusieurs reprises. Puis, elle s'est mise à raconter une histoire de petite fille vendue par son père à une dame qui avait peur des lézards. Une histoire à laquelle Jérôme n'a pas compris grand-chose, tant l'absorbait la contemplation du nombril mordoré de sa « patiente », saillant hors du drap de bain enroulé à la hâte sur son slip encore humide.

Entremêlant les lieux et les époques, Cecilia passait sans transition de l'île de son enfance, abandonnée il y a dix ans, au salon de coiffure de la rue Laurier, quitté avec fracas le jour même. De temps à autre, elle élevait la voix et prononçait quelques mots dans une langue étrangère. Paralysé dans son fauteuil de psy, Jérôme n'osait lui demander de traduire.

À un moment, elle s'est remise à pleurer. Cette fois, Jérôme a réagi en toussotant. Et Cecilia a ouvert les yeux. Elle a révélé qu'à l'époque où elle fréquentait son cabinet, le docteur Prével toussotait toujours quand elle pleurait. Stupéfait, Jérôme est resté sans voix. Le docteur toussotait aussi avant de prendre la parole, a poursuivi Cecilia. Il parlait peu. Quand il le faisait, c'était pour expliquer à Cecilia que la dame l'aimait trop, qu'une petite fille comme elle n'avait pas l'habitude qu'on l'aime autant, mais qu'elle finirait par s'adapter à sa nouvelle existence avec le temps. Sans cesser de regarder Jérôme droit dans les yeux, Cecilia a déclaré que la dame lui avait ravi une partie de son passé, mais qu'elle ne la déposséderait pas pour autant de son avenir de shampooineuse. Que le docteur Prével comprendrait ce qu'elle voulait dire par là. Qu'elle n'avait jamais pu se faire à cette dame qui avait peur des lézards. Qu'elle avait menti à Emmanuel à propos de l'école. Mais qu'elle irait le voir au salon Clip, qu'elle lui avouerait la vérité et qu'elle lui demanderait d'excuser sa conduite de cet après-midi. Qu'elle avait menti aussi à la dame de même qu'au docteur Prével, à qui elle avait téléphoné récemment pour l'assurer que tout allait bien à l'école et qu'elle s'entendait de mieux en mieux avec sa mère adoptive. Qu'elle avait menti à tout le monde. Sauf à lui, Jérôme, que le hasard avait mis sur son chemin quelques minutes après qu'elle se fut enfuie du salon de coiffure où la dame avait fait irruption. Qu'elle n'oublierait jamais le garçon de La Cage, qui l'avait gavée de glace aux fruits de la passion tout l'après-midi. Ni ce bain de pluie qu'ils avaient pris ensemble et qui s'était prolongé si longtemps qu'ils en étaient ressortis transis. Que les éclairs fusant dans l'eau de la piscine lui avaient rappelé les fins de journées orageuses d'autrefois, quand le père rentrait harassé d'une journée à couper la canne, le torse et les membres couverts d'ecchymoses et de piqûres de moustiques. Qu'elle se sentait bien, oui, vraiment bien, là, sur ce divan où le docteur Prével ne l'avait jamais invitée à s'allonger. Qu'à l'époque où elle fréquentait le cabinet, les fillettes persécutées par des dames qui les aimaient trop s'asseyaient sur des chaises droites devant une feuille vierge qu'elles devaient couvrir de dessins que le docteur examinait ensuite en toussotant.

Cecilia s'est tue. Elle s'est tournée contre le mur, ses fines mains brunes enserrant ses longues jambes repliées. Elle s'est mise à se bercer. Comme les malades du docteur Prével qui passent leurs journées à se balancer mécaniquement sur leur lit d'hôpital. Mais le corps de Cecilia bougeait doucement. On aurait dit une fille roulée en boule dans un hamac. Et les pales du ventilateur continuaient de bruire au-dessus du divan paternel, où Jérôme mourait d'envie d'aller rejoindre Cecilia.

N'eût été la panne, Jérôme n'aurait peut-être jamais

trouvé le courage de s'extirper de son fauteuil. Quand les pales du ventilateur se sont immobilisées, Cecilia a cessé de se balancer sur son divan-hamac. Elle s'est renversée sur le dos, puis elle a glissé une main sous le drap de bain et elle a murmuré quelque chose à propos de son slip qui n'était pas encore sec. Jérôme a toussoté avant de lui suggérer de l'enlever. Cecilia a déroulé le drap, mais elle n'a pas retiré sa culotte. C'est alors que Jérôme s'est approché du divan. Il s'est allongé contre le corps humide de Cecilia et il s'est mis à la bercer tout doucement. Quand elle a retiré son slip, Jérôme a pensé que la terre elle-même venait de s'arrêter de tourner en même temps que les pales du ventilateur.

Quand la sonnerie du téléphone a retenti une première fois, Jérôme et Cecilia sont restés enlacés. Mais voici qu'elle se fait de nouveau entendre. Avec une insistance telle que Jérôme se résigne à se lever. Il se rassoit dans le fauteuil qu'il a eu tant de mal à quitter, pestant contre les interruptions de courant qui obligent les fils de psy à faire office de répondeur téléphonique.

« Docteur Prével? C'est moi, c'est Manon, docteur Prével... » hurle une voix paniquée au bout du fil. « Han... han... » halète-t-elle avant de raccrocher abruptement. Jérôme songe un instant à prévenir son père à Los Angeles. Encore faudrait-il qu'il se souvienne de ce qu'il a fait du bout de papier sur lequel est inscrit le numéro de l'hôtel. Mais sans doute vaut-il mieux ne pas déranger pour si peu le célèbre conférencier? Cette Manon finira bien par retrouver d'elle-même son sang-froid. Antoine Prével ne mène-t-il pas sans faillir ses patients sur le chemin de la guérison ? Ne suffit-il pas de rencontrer une fille comme Cecilia pour s'en persuader ?

Cecilia... Dès qu'il l'a vue pousser la porte de La Cage, Jérôme a compris qu'il avait trouvé la femme de ses rêves et qu'il lui resterait fidèle. Contrairement à son père qui s'est marié trois fois en moins de vingt ans. Jusqu'à la fin de ses jours, il n'y aurait d'autres filles dans sa vie que celle qui s'est remise à se balancer sur le divan comme une vahiné dans un hamac, et qu'il se meurt d'envie d'aller retrouver.

Peut-être Manon a-t-elle mal déchiffré le numéro de téléphone inscrit sur la carte de visite qu'Étienne Garneau lui a donnée après avoir fait sa photo? Ou peut-être a-t-elle appuyé sur une mauvaise touche en le composant? Ses mains tremblaient si fort qu'il lui a fallu flamber presque toute une boîte d'allumettes pour venir à bout de l'opération. Une fille comme Manon n'a pas l'habitude de relancer les inconnus qui l'abordent au détour des sentiers du mont Royal.

À la sixième sonnerie, une voix de femme s'est enfin fait entendre, une voix exaspérée qui ressemblait à celle de Mman quand elle se mettait en colère parce que Manon traînait trop longtemps dans la salle de bains. Le garçon n'était pas à la maison, et Manon n'a pas osé s'informer de l'heure à laquelle il rentrerait. De toute façon, elle n'avait rien de particulier à lui dire, elle voulait juste lui demander comment il fait pour s'enfermer des journées entières dans cette chambre noire dont il lui a parlé tout à l'heure. Parce qu'elle, Manon, elle a beau se raisonner, elle n'arrive pas à s'habituer à rester dans le noir. Ça la rend folle. Comme à l'époque où elle se débattait contre le monstre de la baignoire qui voulait l'entraîner au plus profond du lac Noir, là où les algues s'enroulent autour des corps flasques des noyés. Parfois, les yeux exorbités du grand frère affleuraient comme des agates brillantes, et elle mourait de peur. C'est ce qui risque de lui arriver aujourd'hui encore, elle mourra de peur, à moins qu'elle ne s'enfuie de cet appartement plongé dans les ténèbres où seules luisent les prunelles rougeoyantes du gros chat qui épie chacun de ses mouvements.

Mais Manon ne peut pas abandonner petit Lou qui hurle dans sa chambre pleine de jouets. Il doit certainement y avoir un moyen de le faire taire, et Manon doit découvrir ce moyen avant qu'il ne soit trop tard, c'est-à-dire avant que le bébé ne finisse par s'étouffer. Voilà ce que le docteur Prével dirait s'il entendait ces hurlements stridents qui se répercutent dans toutes les pièces de l'appartement. Peut-être lui suggérerait-il aussi de téléphoner à la dame qui a tellement insisté pour que Manon la prévienne si quelque chose n'allait pas ?

Manon fréquente le docteur depuis si longtemps qu'elle n'a même plus besoin de le consulter pour savoir ce qu'il dirait. Mais elle serait forcée d'avouer qu'elle a fait une boulette avec la feuille de papier sur laquelle la dame a noté le numéro de téléphone d'un restaurant grec de l'avenue du Parc – une boulette qu'elle a lancée au gros chat pour qu'il cesse de se frotter contre le pantalon qu'elle a chipé dans la garde-robe de Ppa avant que Mman ne l'emmène à l'hôpital parce qu'elle ne voulait plus sortir de la baignoire. Ce pantalon tire-bouchonné, Manon le porte hiver comme été, elle ne peut pas s'en séparer, pas plus que du chandail élimé dont les manches trop longues recouvrent ses poignets couturés, ou des bottines de bûcheron qu'elle s'est empressée de remettre dès que la dame et son mari ont eu le dos tourné. D'inusables bottines qui ont gardé l'odeur du Lac-Noir et qu'elle chausse, chaque matin, parce qu'elles lui rappellent Ppa, les jours où il l'emmenait avec lui dans la forêt. Manon adorait regarder Ppa travailler. Quand il avait fini d'abattre une épinette qui serait ensuite débitée à la scierie, il poussait un « han ». Et Manon faisait comme lui...

À force de triturer la boulette de papier entre ses pattes, l'animal a eu vite fait de la réduire en bouillie. À ce moment-là, le tonnerre grondait très fort, mais Manon avait allumé partout, et elle déambulait dans l'appartement en s'empiffrant de biscuits au chocolat dénichés dans une armoire de la cuisine. Petit Lou hurlait déjà, il s'était réveillé presque tout de suite après le départ de ses parents. Malgré ses efforts pour fredonner la chanson douce que chantait Ppa à l'époque où elle faisait toutes les nuits des cauchemars peuplés de monstres gluants surgis des profondeurs du lac Noir, Manon n'a pas réussi à l'endormir.

Puis, il y a eu un coup de tonnerre encore plus violent que les précédents, le bébé s'est mis à hurler encore plus fort, et Manon s'est retrouvée plongée dans le noir absolu. Folle de peur, elle s'est ruée sur le téléphone. Heureusement, la dame avait laissé traîner une boîte d'allumettes à côté de l'appareil. Manon a d'abord pensé à appeler Ppa à son secours. Il serait venu tout de suite et il l'aurait ramenée au village sans poser de questions. D'autant plus qu'il aurait pu convaincre Mman de fêter son anniversaire. Pour une fois... Mais comme le Lac-Noir est situé au bout du monde, Manon serait sans doute morte de peur entre-temps, et Mman aurait dit qu'elle l'avait fait exprès, une fois de plus.

Manon s'est ensuite souvenue de Jimmy, son voisin de palier. Après tout, c'est lui qui l'a encouragée à proposer ses services de gardienne aux clientes du salon Clip. «*A baby sitter, that's what a good girl like you is cut out for...*» Jimmy est un bon conseiller. Il en a encore fait la preuve tout à l'heure. Et il n'aurait eu que l'avenue du Parc à traverser pour venir la délivrer. Peut-être même lui aurait-il offert comme cadeau d'anniversaire un peu de cette poudre de rêve qui chasse la peur et qu'il monnaie d'ordinaire si chèrement? Mais Jimmy était sorti, Manon l'aurait parié. Le samedi soir, les beaux gars tels que lui ont autre chose à faire que de secourir les grosses filles enfermées dans le noir. C'est ainsi qu'elle a été forcée de se rabattre sur Étienne Garneau.

À la fin, il ne restait plus que le docteur Prével. Même si Manon savait bien qu'il ne pourrait rien faire pour elle, elle l'a appelé. Le docteur ne s'était-il pas envolé le matin même pour Los Angeles, une ville encore plus lointaine que le Lac-Noir? Pendant toute une semaine, il discuterait avec d'autres docteurs qui soignent, eux aussi, des filles comme Manon. Mais elle voulait malgré tout entendre le son de sa voix. Peut-être même aurait-elle laissé un message après le bip, comme il le lui a appris lors de leur dernière séance? Un message qui aurait dit qu'elle venait de brûler sa dernière allumette et qu'elle n'en pouvait plus de ce petit Lou qui n'arrête pas de hurler, ni de ce gros chat qui la suit comme son ombre et dont les yeux lancent des éclairs couleur de feu. Mais sans doute Manon a-t-elle commis une autre erreur en composant le numéro du cabinet. La voix qu'elle a entendue ressemblait beaucoup à celle du docteur Prével, et pourtant ça n'était pas la sienne. On aurait dit que quelqu'un essayait de se faire passer pour lui. Manon a raccroché avant que le pseudo-docteur n'entende les hurlements du bébé.

Le chat s'est mis à hurler, lui aussi. Sans le faire exprès, Manon lui a écrasé la queue avec ses bottines de bûcheron en se dirigeant à tâtons vers la chambre du bébé. Car elle a enfin trouvé le moyen de faire taire petit Lou. Comment a-t-elle pu prendre autant de temps à découvrir cette solution? Une solution qui lui pendait au bout du nez, mais que son affolement ne lui avait pas permis de voir jusqu'à maintenant. Il suffisait pourtant de se rappeler les recommandations du docteur Prével. Rien de tel qu'un bain prolongé pour calmer les esprits échauffés. Manon en sait quelque chose, elle qui passe les trois quarts de ses journées à voguer à bord du voilier miniature que le docteur lui a offert pour qu'elle échappe au monstre lacustre qui la poursuit jusque dans sa baignoire. Petit Lou cessera de hurler dès qu'il plongera dans l'eau.

Manon a retiré tous ses vêtements. Le pantalon de Ppa, le chandail à manches longues et les bottines de bûcheron forment un tas que le chat flaire en agitant ses moustaches. Par moments, l'animal émet des feulements de bête sauvage qui font écho aux roulements du tonnerre et qui enterrent les hurlements suraigus du bébé. L'eau qui se déverse des robinets tombe comme une cataracte. La cacophonie est devenue telle que Manon a placé ses deux mains sur ses oreilles pour ne pas s'entendre elle-même hurler plus fort que petit Lou qu'elle a décidé de faire taire.

Le bébé s'est tu dès que Manon l'a serré contre son corps dévêtu. Seul le chat a continué de hurler comme un fauve aux aguets. Il n'a pas voulu entrer dans la baignoire. Il s'est assis sur le siège des toilettes, ses prunelles dilatées fixant le couple de baigneurs. Petit Lou avait les yeux grands ouverts comme les noyés. Au bout d'un moment, l'animal a fini par se taire, se contentant d'observer ce qui se passait sous l'eau.

Seule Manon continuait de hurler, tandis que petit Lou s'agrippait à ses seins de méduse. Peut-être le monstre du lac Noir allait-il encore surgir du fond de la baignoire? Mais le voilier du docteur Prével décrivait autour d'eux des cercles concentriques de plus en plus rapprochés, et Manon s'efforçait de hisser à son bord le bébé suffoquant qu'elle tenait pressé contre sa poitrine. D'une voix juvénile, semblable à celle du pseudo-docteur Prével, le capitaine hélait la grosse fille et l'enfant. Et il n'avait pas l'air le moins du monde effrayé par ces créatures d'épouvante qui hantent les baignoires profondes comme des lacs.

La fête n'a pas eu lieu. Quand Mireille Racine a téléphoné pour dire qu'elle était retenue en ville, il était déjà très tard, et les tranches d'esturgeon fumé avaient commencé de se racornir dans les assiettes apprêtées depuis des heures. Sara et Noémie ont grignoté, mais il y avait si longtemps qu'elles attendaient qu'elles n'avaient presque plus d'appétit. Elles ont goûté au champagne : il était tiède et il ne faisait pas beaucoup de bulles. Noémie a dit que c'était la faute de Mireille qui les avait laissées poireauter toute la soirée au lieu de les avertir à temps de son intention de ne pas rentrer manger à la maison. Sara a rétorqué qu'à cause de la panne d'électricité la fête aurait été ratée de toute façon.

Noémie s'est mise à bouder, et Sara en a profité pour jeter la bouffe à la poubelle et pour vider le reste du champagne dans l'évier. «Du vrai gaspillage...» a protesté Noémie, mais Sara lui a expliqué qu'il fallait faire disparaître toute trace de la fête, sinon Mireille risquait de se sentir coupable. Ce qui serait injuste puisqu'elle ne l'était pas. Du moins pas autant qu'il y paraissait à première vue. D'accord, elle n'avait pas tenu sa promesse, elle n'était pas rentrée à la maison tout de suite après l'audition, mais comment aurait-elle pu deviner que Sara et sa copine lui avaient préparé une surprise ? Ça n'était pas sa faute, après tout, si elle avait réussi à décrocher le rôle. Car c'est elle, Mireille Racine, qui a été choisie pour jouer la sorcière. Et les répétitions commencent ce soir. Ça non plus, elle ne pouvait pas le deviner. Dans quelques semaines, la mère de Sara brûlera les planches du Quat'Sous. La comédienne venait tout juste d'apprendre la nouvelle quand elle a téléphoné. L'audition s'était très bien déroulée. Le metteur en scène n'avait pas été long à s'apercevoir qu'elle avait exactement la tête qu'il fallait et il avait été vivement impressionné par sa parfaite connaissance du texte et par sa manière de le dire en faisant le pont comme les hystériques du Dr Charcot. Sara lui a demandé à quoi ressemblait au juste cette tête de sorcière que le coiffeur de chez Clip avait créée exprès pour elle, et Mireille a répondu qu'elle avait le crâne entièrement rasé, à part quelques minuscules touffes de cheveux bourgeonnant ici et là. D'après Emmanuel, ça lui allait très bien. La comédienne a enchaîné en récitant un bout de son monologue, mais elle a eu un trou presque tout de suite en commençant et elle a fondu en larmes.

« C'est parce que je suis heureuse... » a-t-elle balbutié en reniflant. Sara a été si étonnée qu'elle a failli se mettre à pleurer, elle aussi. Jusque-là, elle n'avait jamais entendu quelqu'un pleurer de bonheur. Elle avait toujours cru que ce genre de choses n'arrivait qu'au cinéma. Mais Mireille pleurait vraiment. Et c'est en l'écoutant sangloter de joie au bout du fil que Sara s'est dit qu'il valait mieux ne pas parler de la fête parce que cela risquait de la bouleverser encore davantage. Une fête qui aurait été ratée de toute façon. À cause de cette foutue panne dont Sara a préféré ne pas parler non plus pour ne pas alarmer inutilement sa mère. Sans doute Mireille appelait-elle d'un quartier que l'orage avait épargné ? Pas une seule fois au cours de la communication elle n'a fait allusion au tonnerre qui grondait encore ni à la pluie qui continuait de tomber comme si elle n'allait plus jamais s'arrêter.

Par moments, Mireille interrompait la conversation pour s'adresser à d'autres personnes. Elle téléphonait d'un bar où se trouvaient plein de gens du métier qui tenaient tous à lui payer un verre pour célébrer son succès. Naturellement, elle ne buvait que du Perrier puisqu'elle avait besoin de toute sa tête pour poursuivre la répétition. Elle avait profité d'une pause pour appeler Sara. L'équipe était réunie dans une salle louée par le Quat'Sous. Un entrepôt à peine aménagé où il n'y avait pas de téléphone. C'était pour ça qu'elle avait tant tardé à donner de ses nouvelles. Mais elle n'était pas inquiète parce qu'elle savait bien que sa grande fille de onze ans avait depuis longtemps l'habitude de se débrouiller sans sa maman et qu'elle ne se serait pas laissée mourir de faim en l'attendant.

Heureusement, Mireille ne s'est pas aventurée plus avant sur ce terrain miné. Elle n'a pas demandé à Sara ce qu'elle avait mangé. Sautant du coq à l'âne, elle s'est enquise des projets de sa fille pour le reste de la soirée. Avant que Sara n'ait eu le loisir de répliquer qu'aucune mère de sa connaissance n'aurait incité sa fille de onze ans à sortir de la maison à pareille heure et par un temps pareil, elle a enchaîné en lui suggérant d'aller faire un tour chez sa copine Noémie au lieu de rester toute seule à se morfondre dans l'appartement. Ou encore aux Belles-Lettres, la boutique de ce sympathique libraire du boulevard Saint-Joseph, qui est ouverte jusqu'à minuit.

Sara ne s'est pas donné la peine d'expliquer que Noémie ne l'avait pour ainsi dire pas quittée d'une semelle au cours de cette journée presque tout entière consacrée à la préparation de la fête. Une fête qui n'aurait pas lieu. Elle n'a pas jugé nécessaire non plus de préciser que sa copine se trouvait, en ce moment même, à portée de voix de l'appareil et qu'elle semblait s'amuser fort des piètres capacités divinatoires de la sorcière du Quat'Sous. Tout comme elle s'est abstenue d'expliquer à sa mère que l'horaire des Belles-Lettres varie d'ordinaire en fonction de l'humeur fantasque de son propriétaire ; qu'elle n'avait de toute façon aucune envie d'y retourner puisqu'elle y était déjà allée avec Noémie, cet après-midi ; qu'elles y étaient restées très longtemps et qu'elles avaient même eu droit à une visite guidée de l'arrière-boutique du collectionneur de poupées anciennes ; que le gros libraire du boulevard Saint-Joseph leur avait raconté des tas d'histoires et qu'il haletait tellement il avait chaud ; qu'il leur avait fait don de livres rares et d'albums magnifiques avant de les laisser partir à regret.

Au moment de dire au revoir, Mireille a demandé à Sara si elle était fière d'avoir une mère dont elle lirait bientôt le nom sur les affiches du Quat'Sous. Sara a répondu oui. Un oui qui sonnait un peu faux. Comme les larmes de Mireille. De vraies larmes de comédienne désespérée d'avoir raté son audition.

En raccrochant, Sara s'est félicitée de n'avoir pas révélé à sa mère quelle surprise l'attendait à la maison. Cela n'aurait fait qu'empirer les choses. Elle cacherait à Noémie qu'elle soupçonnait Mireille d'avoir menti et d'être en train de noyer son chagrin dans un bar rempli de gens du métier. La fifille à son Papou était d'assez mauvaise humeur comme ça.

Car tout ne va pas pour le mieux entre les deux copines depuis qu'elles ont quitté la librairie. Exaspérées par l'attente de l'arrivée de Mireille, elles n'ont pas arrêté de se chamailler. À propos de tout et de rien. De ces bougies que Noémie a jugé bon d'allumer par dizaines. «T'es débile ou quoi?...» s'est écriée Sara, momentanément paniquée par l'interruption de courant. «La panne peut durer des heures. Toutes les chandelles vont s'éteindre en même temps et on n'aura plus que la lampe de poche pour s'éclairer. Mais tu t'en fous, toi! Elle s'en fout, la petite fille à son Papou! C'est pas elle qui risque de se retrouver seule dans le noir jusqu'aux petites heures du matin. Son Papou chéri va venir bientôt la chercher et il va la ramener à la maison dans sa belle voiture.»

Elles se sont disputées aussi au sujet de la bouteille de champagne. Cette satanée bouteille que Sara avait mise à fraîchir quand elle croyait encore que sa mère allait arriver d'un instant à l'autre et qu'elle a voulu ouvrir avant qu'il n'y ait plus de glaçons dans le seau. «T'as jamais débouché une bouteille ou quoi?...» s'est aussitôt vengée Noémie. «Faut pas que le bouchon pète. Tu savais pas? Ça fait vulgaire. Et c'est moins bon après. C'est moi qui aurais dû le faire. Comme Papou m'a appris. En retenant le bouchon, sinon ça gicle partout.» Et le ton a continué de monter au fur et à mesure que l'attente se prolongeait. Jusqu'à ce que Mireille téléphone enfin pour dire qu'elle ne rentrerait pas.

Les choses ne se sont pas arrangées par la suite. Loin de là. L'appel de Mireille a définitivement mis le feu aux poudres. Si bien que Noémie n'a pas attendu que son Papou chéri vienne la chercher avec sa belle voiture. Elle a décidé de rentrer chez elle à pied, malgré la pluie qui avait redoublé de violence. Avant de partir, elle a rappelé à sa copine qu'elle avait passé la journée à faire ses quatre volontés. Qu'elle avait piqué une bouteille de champagne dans la cave de Papou, mais qu'elle n'aurait pas dû. Que c'était elle, Sara, que Papou aurait dû réprimander quand il avait découvert le larcin. Que Papou avait finalement passé l'éponge, mais qu'il ne s'attendait certainement pas à ce que sa bouteille d'extra-brut finisse dans l'évier. Qu'elle regrettait de n'être pas allée manger au restaurant Xanthos avec Raphaël, Papou et son Anne-Marie. Qu'à tout prendre elle préférait encore les repas en famille aux soupers en tête-à-tête avec Sara. Qu'Anne-Marie Benedetti était peut-être détestable, mais qu'elle connaissait bien son métier et qu'elle n'avait sans doute pas tort quand elle disait que Mireille Racine ne se ferait jamais un nom parce qu'elle n'avait pas de talent. Que Sara resterait toute seule en ville, l'été prochain, puisque sa mère n'aurait pas d'argent pour payer son billet d'avion. Que c'était quand même dommage parce qu'elles auraient pu porter des chapeaux cloches et s'asseoir ensemble à la terrasse d'un café parisien. Qu'il était près de onze heures du soir et que Papou avait dû l'oublier. Qu'il n'aurait jamais fait une chose pareille avant de s'amouracher de son Anne-Marie...

Là-dessus, Noémie a enfilé son ciré jaune et elle a claqué la porte du balcon arrière. Elle a descendu l'escalier en courant et en criant d'autres méchancetés. Sara l'a regardée partir en se demandant pourquoi elle n'était pas sortie par-devant. Si elle avait remonté l'avenue du Parc, Noémie aurait pu s'arrêter chez Xanthos en passant. Peut-être était-elle trop énervée pour y penser quand elle a décidé de s'en aller ?

La fifille à son Papou court si vite qu'elle a déjà atteint l'extrémité de la ruelle où clignotent les feux d'une voiture immobile. La voiture se remet en marche au moment où Noémie débouche sur le boulevard Saint-Joseph. Sara perd peu à peu de vue la silhouette jaune qui fuit dans la nuit. Elle s'aperçoit qu'elle a froid et qu'elle ferait mieux de rentrer. C'en est fini de la belle saison et des petites jupes à volants.

De retour dans l'appartement désert, elle ouvre le gros livre sur le Moyen-Âge, si gentiment offert par le libraire des Belles-Lettres, et elle examine avec attention les images qui illustrent le chapitre sur les sorcières. Toutes ont le crâne rasé et les lèvres exsangues. Mais aucune ne ressemble à Mireille lorsqu'elle récite son texte en arquant le dos comme une hystérique.

Sara lève un instant les yeux de son livre. Tout est propre et bien rangé. Mireille ne se rendra compte de rien quand elle rentrera. Même si la salle à manger conserve un petit air de fête à cause de la multitude de bougies qui se consument lentement.

N'était la pluie qui se déverse en trombe sur la ville privée de courant, Normand Petit aurait effectué à pied sa ronde de nuit. Le libraire du boulevard Saint-Joseph n'aime pas conduire. Mais il s'est résigné à sortir sa Phoenix 84 du garage où elle repose depuis des mois. La dernière fois qu'il s'est servi de ce tas de ferraille, c'était pour aller embrasser sa vieille maman à Trois-Rivières, et il s'en est fallu de peu que l'antique véhicule ne rende l'âme avant la fin de ce périple d'à peine trois cents kilomètres.

Pluie ô pluie ô! Répétant tel un mantra les paroles de son cher Queneau, le chauffeur de la Phoenix gris poussière s'est engagé prudemment sur la chaussée glissante. Il remonte la fermeture éclair du «perfecto» qu'il a enfilé par-dessus sa chemise de fantaisie. Depuis qu'il fréquente Charlotte (Ève-Marie? Anne-Sophie?), Normand Petit est habillé comme un prince.

Pluie ô pluie ô! La pluie lavera la Phoenix couleur de suie. Et l'infante qui surgira de la pénombre roulera carrosse telle Cendrillon. *Ô pluie ô!* Ses cheveux goutteront sur le cuir tout neuf du blouson qu'elle passera sur ses épaules frissonnantes.

Normand Petit ratisse le quartier. Hélas! nulle infante perdue n'erre au hasard des rues. *Ô parapluie ô paraverse ô paragouttes d'eau de pluie!* Un air vif s'engouffre par les vitres grandes ouvertes du carrosse poussiéreux. Le prince des Belles-Lettres se sent tout ragaillardi. Il fredonne de plus belle la ritournelle qui lui trotte dans la tête depuis que l'orage a éclaté. *Ô capuchons ô pèlerines ô imperméables!* N'avait-il pas prophétisé qu'un vent de tous les diables se lèverait avant la fin du jour et qu'il fouetterait le sang des citadins alanguis par les vapeurs de cet été qui n'en finit plus de finir?

La Phoenix vire dans la ruelle de l'avenue du Parc. Ses phares fouillent les cours jonchées de papiers gras. En vain. Pas de petit rat encapuchonné sautillant de flaque en flaque. Pas même de Dominique Légaré scrutant le vide du haut de son balcon. Ni de Charlotte (Ève-Marie? Anne-Sophie?) pourchassant le voleur d'images qui l'a laissée choir sans préavis. Rien qu'un gros matou tapi sous la galerie d'une maison obscure d'où s'échappent d'inquiétants hurlements. Normand Petit connaît bien cette maison. C'est là que niche son ex-tout-court. Mais les hurlements proviennent de l'appartement situé au-dessous de celui de cette chère Dominique.

Pluie ô pluie ô! Mais où donc se cache l'infante sans *paragouttes* qui cavale dans la nuit? Le prince des Belles-Lettres immobilise son carrosse à l'extrémité nord de la ruelle. Mieux vaut poireauter encore un moment que rentrer bredouille maintenant.

Ô pluie ô! Tout dort dans la ruelle. Même les hurlements se sont tus. Le bébé aura fini par se faire à cette atmosphère de fin de saison qui règne depuis le début de la soirée. Le sommeil gagne Normand Petit. Il relève le col de son blouson et remonte la vitre de la portière. Mais voici qu'un petit rat tout de jaune vêtu pointe son museau dans le rétroviseur embué. Un petit rat qui a pris la clé des champs et qui trottine vers le boulevard Saint-Joseph. Est-ce Sara? Ou sa copine Noémie? Ou quelque infante inconnue dissimulant ses traits sous son capuchon rabattu?

Ô pluie ô! La Phoenix ruisselante s'ébranle derrière le petit rat grelottant dans son manteau de pluie.

Emmanuel sait qu'il devrait regagner son loft au lieu de faire face à l'affreux personnage qui le nargue dans le miroir. Pourtant, il reste cloué sur sa chaise de coiffeur tel un impotent dans son fauteuil roulant. Sa demi-brosse est impeccable. Hélas! on ne pourrait pas en dire autant du reste. Est-ce le faux jour créé par l'éclairage aux chandelles qui lui donne cette mine de déterré? Ou le «mal» qui progresse d'heure en heure? Cette tache suspecte qui s'étend comme un stigmate au-dessus de l'arcade sourcilière gauche n'avait pas encore fait son apparition ce matin, Emmanuel le jurerait. Après-demain, le médecin prononcera le verdict. Mais le suspense ne durera pas jusque-là. Inutile de continuer à se leurrer. L'affreux personnage qui le dévisage porte le masque de la mort annoncée. Quel que soit l'angle sous lequel il l'examine, Emmanuel ressemble trait pour trait à la figure repoussante que lui renvoie son miroir articulé.

S'arrachant à sa contemplation morbide, le coiffeur pivote sur sa chaise à roulettes. Son regard s'arrête sur le tiroir béant de la caisse enregistreuse. Maudite panne! Si elle ne s'était pas produite, Emmanuel serait resté là-haut, il n'aurait pas raté la fin de *La Dame de Shanghaï*, et il ignorerait encore de quoi Jimmy est capable quand il est en manque.

Peut-être eût-il mieux valu casquer que se laisser plumer comme un oison ? L'humiliation aurait été plus facile à supporter. Apparemment oublieux du refus essuyé quelques heures auparavant, Jimmy est revenu à la charge, une énième fois. Il a refait son boniment qu'Emmanuel a écouté d'une oreille distraite. Des « clients » harponnés dans un bar branché du boulevard Saint-Laurent... Une « affaire » promettant de rapporter gros... À condition d'avoir le *cash* indispensable à sa conclusion, bien sûr... « *You'll get it back, I swear !* »

Trempé de la tête aux pieds, Jimmy parlait en s'ébrouant comme un chien mouillé. Il tremblait si fort qu'il avait du mal à secouer sa cigarette dans le cendrier. Dans l'espoir (vain) de faire rire Emmanuel qui gardait les yeux rivés sur l'écran où apparaissait en gros plan le visage bouleversant de Rita Hayworth, il a commencé son numéro en se payant la gueule de ses clients. « Un Latino qui s'est fait la malle *and a silly girl who thinks she's* Jeanne d'Arc... *Nice couple !* Mûrs pour la défonce... »

Une quinte de toux a mis fin à ses élucubrations bilingues. Emmanuel n'a pas réagi. Il n'a offert ni *cash* ni verre d'eau ni vêtements secs au garçon qui toussait à fendre l'âme. Il s'est contenté de hocher négativement la tête. Jimmy a compris, il a dévalé l'escalier sans insister. Emmanuel ne l'a pas suivi. Mais il a cru entendre tinter la caisse enregistreuse. C'est à ce moment-là qu'est survenue la panne. Le magnétoscope s'est arrêté, un *bastard !* retentissant s'est élevé du rez-de-chaussée jusqu'à l'étage, et la porte du salon Clip a claqué si violemment qu'Emmanuel a failli se trouver mal. Jimmy s'est enfui comme le voleur qu'il est devenu depuis qu'il est revenu de son voyage en Asie. Il a raflé le peu d'argent liquide que contenait la caisse. Le pauvre n'a pas eu de pot. Emmanuel est passé à la banque hier après-midi, et rares sont les clientes qui ont payé comptant aujourd'hui.

La panne perdure. Impossible de remettre en marche le magnétoscope. Mais Emmanuel a vu si souvent le film d'Orson Welles qu'il peut se faire son propre cinéma. Il n'a qu'à déambuler le long des murs couverts de miroirs en s'imaginant en train d'errer à travers la galerie de glaces qui déchiquettent en mille fragments l'agonie solitaire de la Dame de Shanghaï. Qui sait si Jimmy ne rappliquera pas avant la fin de la nuit? S'il surprend le *bastard* en train de faire le tour du propriétaire, peut-être ira-t-il jusqu'à le ligoter sur sa chaise à roulettes? Emmanuel ne se débattra pas. Il s'abandonnera corps et biens à son tortionnaire. Avec un peu de chance, il sera mort quand on le découvrira. C'est ce qui pourrait lui arriver de mieux. Car le propriétaire et maître-coiffeur du salon Clip sait qu'il n'est pas de la race qui fait les bons malades, tant s'en faut!

En rentrant à la maison, Mireille Racine a failli buter contre le corps étendu de Sara. Couchée en chien de fusil sur le tapis du salon, la petite dormait, tout habillée. Elle avait dû s'assoupir en feuilletant le gros livre qui traînait à côté d'elle. Non sans avoir pris soin de souffler les chandelles auparavant, des dizaines de chandelles qu'elle avait dénichées Dieu sait où et qu'elle avait fixées au fond de soucoupes et de cendriers. Une odeur de cire flottait encore dans l'air. La pièce était plongée dans la pénombre. Si elle n'avait été aussi bien rangée, on aurait pu croire qu'une fête avait eu lieu et qu'elle venait tout juste de se terminer.

Mais Sara est une petite fille raisonnable. Bien plus raisonnable que sa maman. Elle ne perd jamais la boule, elle. Même le samedi soir. Ce n'est pas elle qui profiterait d'une panne de courant pour retarder indéfiniment le moment de faire face à l'échec. Un échec si difficile à digérer qu'il remonte à la gorge en même temps que l'alcool ingurgité dans le but de le diluer.

Mireille Racine a la nausée. Pas étonnant après cette soirée passée à s'enfiler cognac par-dessus cognac et à tirer ligne sur ligne. Il a suffi de quelques heures pour qu'elle flambe ses dernières économies. Pis! elle a fait des dettes. Auprès d'un certain Jimmy, un petit rigolo qui ne doit pas être du genre à rigoler longtemps avec ces choses-là. Du moins est-ce ce qu'Eduardo avait l'air de penser, lui aussi. Aussi collant qu'une teigne, celui-là! Ça n'a pas été facile de le convaincre de rentrer chez sa bonne femme. En voilà un autre qui ne devrait pas tarder à donner de ses nouvelles. D'autant plus qu'il habite chez Françoise Garneau, juste à côté. Et qu'il est persuadé que sa voisine est une star...

Une star de la frime, oui!, qui excelle dans l'art de jeter de la poudre aux yeux des hidalgos de ruelle, mais qui n'a jamais été foutue de décrocher un rôle, un «vrai». Même quand elle s'est fait faire exprès la tête de l'emploi. Qu'est-ce que va dire Sara quand elle verra la nouvelle coiffure de sa mère? Il faut avoir de la gueule pour se permettre ce genre d'excentricités. C'est ce qu'a déclaré Eduardo tout en caressant ses cheveux coupés ras. L'autre coco – qui n'en ratait pas une dans l'espoir de conclure un marché le plus rapidement possible... – a renchéri. Mais ce Jimmy est un bluffeur comme tous les dealers. Et comme Eduardo. À moins qu'il ne se soit fait à lui-même compliment de son crâne pelé comme un œuf.

Seule Sara dira la vérité. Sara dit toujours la vérité. Sauf quand elle a peur de chagriner sa maman. Ou de l'inquiéter inutilement. C'est ce qu'elle a fait, ce soir encore. Quand Mireille a téléphoné pour l'avertir qu'elle ne rentrerait pas manger à la maison comme promis, sa fille s'est bien gardée d'avouer qu'elle n'avait pas de projets pour la soirée. Pourquoi la petite n'est-elle pas allée faire un tour chez sa copine Noémie? Mireille le lui avait pourtant suggéré. Les deux fillettes s'entendent si bien. Une fois rendue chez les Pomainville, Sara y serait sans doute restée dormir. Ce bon Papou Pomainville ne l'aurait pas laissée repartir par un temps pareil. Surtout s'il avait su que personne ne l'attendait à la maison.

Pauvre chérie! Il faudrait la déshabiller et la mettre au lit avant qu'il ne fasse jour. Mais comment y parvenir sans troubler son sommeil de fillette de onze ans si raisonnable? Sara n'est plus un bébé. Et Mireille a les bras en coton. Comme ses genoux qu'elle sent se dérober sous elle, tandis qu'elle s'efforce en vain de soulever le corps trop lourd de sa fille. Aussi bien attendre que la petite se réveille d'elle-même. Mireille s'allonge aux côtés de Sara. Sa main tâtonne sur le plancher à la recherche d'allumettes. Avec cette maudite panne on ne peut même pas savoir l'heure qu'il est. L'heure d'aller au lit, certainement...

Sara ouvre les yeux. Elle se met à bredouiller des mots sans suite. Des mots qui s'assemblent pour former une phrase qui ressemble au début de ce satané monologue dont Mireille a oublié des passages entiers. *Vers le matin, je me suis endormie un moment, mais je fus presque aussitôt réveillée par le tapage de la foule devant la prison. J'avais peur et je pleurais, mais...* Mireille fond en larmes et s'agrippe au cou de sa fille qui continue de réciter le texte qu'elle a appris par cœur pour aider sa maman à le mémoriser. *Au-dessus des pins, au-dessus de tout il y avait des traînées de nuages minces en forme de mains. Alors...* Alors la sorcière rit, *mais c'est comme lorsqu'un enfant rit,* elle rit et elle pleure en même temps, et elle confesse à

Sara qu'elle a raté son audition et qu'elle n'a pas osé le lui avouer au téléphone.

La petite ne réagit pas. On dirait qu'elle n'a pas entendu. Ou qu'elle n'a pas voulu entendre. *Alors je me retournai. LUI était là, derrière moi...* Mireille l'embrasse pour la faire taire. Mais Sara poursuit, et elle invente, comme si elle avait, elle aussi, oublié son texte.

«La voiture était là, juste derrière Noémie... Ses feux clignotaient dans la nuit... Noémie ne s'est pas retournée... Elle s'est mise à courir encore plus vite... Et la voiture s'est ébranlée...» continue-t-elle en plongeant son regard dans celui de sa mère qui ne comprend pas grand-chose à ce qu'elle raconte. Elle est tout à fait éveillée maintenant. Pourtant, elle divague encore. Elle dit que Noémie a disparu. Que Papou Pomainville a téléphoné. Qu'il est arrivé quelques minutes plus tard. Qu'il l'a giflée tellement il était énervé. Qu'il a insulté Mireille – qui ne pouvait pas se défendre parce qu'elle n'était pas présente –, en la traitant de «parfaite irresponsable». Qu'elle, Sara, a répliqué qu'il fallait bien que sa mère gagne sa vie. Que le Papou de Noémie s'est imaginé qu'il était son Papou à elle et qu'il lui a ordonné d'éteindre les bougies et d'aller se coucher tout de suite. Qu'elle n'a pas obéi. Qu'elle l'a laissé partir sans parler de la voiture qui était garée dans la ruelle et qui s'était mise en marche juste au moment où sa copine passait à côté d'elle. Qu'elle n'y a pensé qu'après. Que c'était peut-être *LUI* qui attendait Noémie dans cette voiture couleur de poussière...

«Mais qu'est-ce que tu racontes là, ma puce? l'interrompt Mireille. Tu as fait un mauvais rêve. C'est cette fichue sorcière qui t'a chamboulé l'esprit.» Sara soupire, puis elle se lève d'un bond et dévisage sa mère comme s'il s'agissait d'une inconnue. Redressant sa tête de sorcière qu'elle sent de plus en plus lourde, Mireille exhibe son caillou signé Emmanuel en esquissant un sourire contrit. Sara éclate de rire et dépose un baiser sur le crâne tondu de sa maman. Elle allume une bougie, aide Mireille à se relever, puis elle la conduit à sa chambre.

Elles vont dormir jusqu'à midi. Au moins. Mireille a avalé les deux comprimés d'aspirine que Sara lui a apportés avec un verre d'eau avant de se glisser à son tour sous les couvertures. Il commence à faire froid dans l'appartement. Mais la mère et la fille se tiennent au chaud, serrées l'une contre l'autre.

«Tu sais ce qu'on va faire demain après-midi, ma grande? chuchote Mireille à l'oreille de Sara. D'abord, on se débarrassera de ces jupes à volants qui ont fait leur temps. Puis, on fera le tour des boutiques. On s'achètera des jupes écossaises. Celles qu'on attache avec des épingles, tu sais? Et des vestes de bûcheron. J'espère qu'on en trouvera. Il paraît que c'est la dernière mode à Paris. Ensuite, on ira au resto. Ou on se fera une petite fête maison. On invitera Noémie, si tu veux. Qu'est-ce que tu en dis, mon ange?»

Sara ne dit rien. Elle dort déjà. Mireille ferme les yeux. Elle a le cœur qui bat trop vite. Elle n'a pas vraiment sommeil, mais elle commence à se détendre un peu, bercée par le souffle tranquille de la petite Sara.

Noémie s'est réveillée en criant « Papou », les joues en feu et les pieds glacés. Tenaillée par une terrible envie de pipi, elle a mis sa main entre ses cuisses comme elle faisait quand elle était petite. Elle voudrait bien se lever, mais elle n'ose pas. Papou pourrait l'entendre. Ou l'Anne-Marie. Pour se rendre jusqu'à la salle de bains, il faut passer devant leur chambre. Après ce qui est arrivé cette nuit, ils ne doivent dormir que d'un œil. Car ils sont persuadés qu'il est « arrivé » quelque chose. Quelque chose d'épouvantable. S'ils recommencent avec leurs questions, Noémie ne dira rien de plus que ce qu'elle a dit tout à l'heure. Une fille de onze ans n'a de comptes à rendre à qui que ce soit. Pas même à son Papou. Encore moins à sa marâtre. Surtout quand la marâtre s'appelle Anne-Marie Benedetti. Et qu'elle mène les interrogatoires comme elle mène ses interviews. C'est-à-dire en coupant sans arrêt la parole au prévenu.

« La mère de Sara a téléphoné, elle a dit que c'était elle qui avait obtenu le rôle, alors...

– Quel rôle ?

– Mais le rôle de la sorcière, bien entendu ! »

À force d'entendre Mireille répéter son monologue devant Sara qui connaît le texte par cœur, Noémie a fini, elle aussi, par en mémoriser des bouts. Ce bout-là, par exemple, que la comédienne récite en faisant cliqueter les chaînes qui entravent ses poignets.

Leurs voix m'ont traversé les oreilles, et c'était comme des cris d'oiseaux méchants. Malgré les cris, la sorcière ne parle pas. Elle tient tête à ses bourreaux qui vocifèrent. Elle préfère être brûlée vive plutôt que de trahir son amour. Son amour, c'est Satan, mais elle ne le nomme jamais, elle dit toujours «Lui».

LUI était là, derrière moi et il posa sa main sur ma hanche... Alors...

«Alors quoi? À quoi ça rime tout ça?

– Avec déprime, disons...»

Car autant dire les choses comme elles sont : Noémie et sa copine Sara se sont payé une petite déprime après le coup de fil de Mireille Racine. La fête venait de se terminer avant même que d'avoir commencé. Cette fichue fête qu'elles avaient passé l'après-midi entier à organiser... Elles se sont disputées, et Noémie s'en est allée par la ruelle. Il pleuvait à verse et il faisait tellement noir qu'elle a failli se tordre une cheville en butant contre le filet de hockey que les jumeaux avaient laissé traîner derrière le restaurant Xanthos. C'est à ce moment-là qu'elle a aperçu la voiture...

Non! elle n'a pas eu l'idée de s'arrêter en passant. Qui aurait eu l'idée d'entrer dans un restaurant par la porte de service? D'autant plus que les phares de la voiture...

«Retourner chez Sara et ressortir de l'appartement

par-devant?» Plutôt faire le tour complet du pâté de maisons que de subir une pareille humiliation. Sara était de si mauvaise humeur, elle aurait certainement refusé de lui ouvrir. De toute façon, il était très tard. Le restaurant devait être fermé depuis longtemps.

«L'heure exacte?» Noémie n'en sait rien, elle n'a pas pensé à regarder sa montre, et même si elle l'avait fait, elle n'en aurait rien su. À cause de la panne. Elle sait seulement qu'après le coup de fil de Mireille Racine, elle s'est chamaillée avec Sara pendant un long moment. En montant dans la voiture, elle a jeté un coup d'œil sur le tableau de bord et...

«Quelle voiture?» Mais la voiture qui était garée à l'extrémité de la ruelle. Chaque fois qu'elle tente d'y faire allusion, on l'interrompt. Si on voulait bien l'écouter quand elle parle, on en aurait bientôt fini avec cet interrogatoire débile...

Non! elle n'est pas rentrée à pied, c'est le prince de la pluie qui l'a raccompagnée dans son carrosse couleur de suie. Un prince pas très charmant, sanglé dans un blouson de cuir trop neuf qui comprimait son ventre de gnome. Mais un prince tout de même. Et qui l'a saluée dans la langue des princes.

«Ô infante de la nuit! Te voici enfin!» s'est-il écrié en ouvrant la portière de son carrosse. Noémie est tout de suite entrée dans le jeu. Elle a fait la révérence en relevant un pan de son ciré, et le prince l'a aidée à se hisser sur la banquette.

Pluie ô pluie ô! s'est-il mis aussitôt à fredonner. Le carrosse s'est ébranlé et...

« Assez déliré !

– C'est pas du délire, c'est de la poésie. Un poème célèbre que le prince a chantonné tout le temps qu'a duré la balade. »

Gouttes d'eau gouttes d'eau ô gouttes...

Cette fois, c'est Papou qui l'a interrompue. Il était furieux. Plus furieux encore que son Anne-Marie. Cela s'entendait. Il n'élevait pas la voix parce qu'il ne voulait pas réveiller Raphaël qui dormait dans la pièce voisine, mais il martelait chaque mot qu'il prononçait comme s'il l'avait épelé. JAMAIS FILLE DE ONZE ANS NE S'ÉTAIT CONDUITE AUSSI SOTTEMENT. Il voulait TOUT savoir. Et tout de suite...

Si bien que Noémie s'est vue forcée d'expliquer en long et en large qu'il ne s'était pas passé GRAND-CHOSE en vérité. Qu'elle n'était pas assez SOTTE pour accepter l'invitation du premier venu. Que le prince de la pluie était nul autre que ce gentil M. Petit. Qu'elle l'avait reconnu dès qu'il avait ouvert la bouche. Que seul le libraire des Belles-Lettres était capable de parler comme un livre. Qu'elle avait visité son arrière-boutique cet après-midi avec Sara. Qu'elles s'y étaient attardées longuement. Que le gros monsieur leur avait raconté des tas d'histoires qu'il savait toutes par cœur. Qu'il leur avait donné des livres. Qu'il...

« DONNÉ ?

– Oui, oui, DONNÉ.

– Et ENSUITE ? »

«Ensuite?» Eh bien, le prince a déclaré qu'il n'était pas prudent qu'un petit rat solitaire trotte dans la ruelle à une heure pareille. «Petit rat», c'est le surnom que le libraire donne quelquefois à Sara. À cause de la rime. Noémie a été surprise de l'entendre s'adresser à elle de cette façon. Il faisait si noir qu'il avait dû la confondre avec sa copine. Quand Noémie a voulu le détromper, il lui a donné une chiquenaude sur le bout du nez.

«Est-ce que tu ne sais pas danser, toi aussi, petit rat joli?» a-t-il demandé en regardant ses jambes. Une drôle de question à laquelle Noémie a répondu oui. Elle a même ajouté qu'elle suivait des cours et qu'elle dansait mieux que Sara. Mais sa voix tremblait en disant cela. Et elle s'est mise à pleurer sans savoir pourquoi.

«Allons, allons, mon raton!» l'a consolée le libraire tout en dégrafant son blouson. «Pauvre Charlotte qui grelotte...» a-t-il poursuivi en l'attirant plus près de lui. Noémie a pouffé de rire et elle a enfilé le blouson. Le libraire ne l'a plus jamais appelée Charlotte par la suite. Mais il a continué à lui donner le surnom de Sara. Un peu plus tard, Noémie lui a avoué qu'elle préférait «infante» à «petit rat». Un surnom que le libraire avait inventé exprès pour elle.

«*As you like it*, ô infante ravissante!» s'est exclamé M. Petit dans la langue des princes. Et c'est alors qu'il a proposé de faire un petit détour par le mont Royal. Pour voir la ville s'illuminer d'un coup. Car la panne allait se terminer juste au moment où ils atteindraient le belvédère. Le prince des libraires en avait la certitude. Le carrosse a pris le chemin de la montagne avant même que Noémie ait eu le temps de dire oui.

C'est un chat, le gros matou noir qui habite en face de chez Sara, qui a mis fin à l'interrogatoire. L'Anne-Marie a fait une crise en le voyant. Elle a dit que Papou ne savait pas comment élever des enfants. Qu'il cédait à tous leurs caprices. Qu'il méritait bien d'avoir une fille fugueuse et un fils qui ramasse tout ce qui traîne dans la rue. Qu'il n'aurait jamais dû permettre à Raphaël de laisser entrer ce chat errant. Qu'il faudrait se payer une séance de pleurs et de grincements de dents au moment de s'en débarrasser. Que cette maudite bête avait déjà mis du poil partout. Qu'elle était allergique. Qu'elle passerait le reste de la nuit à râler. Qu'elle...

Papou lui a conseillé d'arrêter de râler tout de suite. Il a dit qu'il en avait assez entendu comme ça. Qu'il n'allait certainement pas mettre un chat dehors par un temps pareil. Que ce brave matou appartenait sans doute à quelqu'un. Qu'il avait dû se perdre. Qu'il réglerait son cas demain. Idem pour Noémie.

Grâce à cette heureuse diversion, Noémie n'a pas eu besoin de raconter la fin de son histoire. De toute façon, cette fin n'en aurait pas été vraiment une. Qui sait si l'histoire ne se terminera pas un autre jour ?

Quand M. Petit a voulu l'emmener dans sa boutique, elle a dit non. Si elle n'avait été aussi fatiguée, elle aurait peut-être accepté. Le libraire a insisté, il s'est énervé un peu, et Noémie l'a calmé en l'assurant que ça n'était que partie remise. Elle s'est même engagée à revenir lui rendre visite avec Sara. M. Petit a paru satisfait. Il a promis de se tenir tranquille à condition qu'elle arrête de bouger. Et il a emprisonné ses pieds nus entre ses cuisses charnues.

« Ô infante aux blancs petons ! Viens que je te chauffe contre ma panse ! Ô ma frissonnante !... » Le gros homme divaguait dans la langue des princes, il disait n'importe quoi, et Noémie avait le sentiment bizarre d'être devenue une autre Noémie. Elle, si chatouilleuse d'habitude, n'avait même pas envie de rire. Ses pieds ne lui appartenaient plus. Ils étaient devenus la propriété du prince qui les frottait contre son ventre de gnome. Il frottait avec une telle vigueur que son visage était tout congestionné. Jusqu'à ce qu'il s'arrête aussi soudainement qu'il avait commencé. Curieusement, Noémie a ressenti au même moment une vague envie de faire pipi. Mais elle n'en a rien dit. Il fallait bien qu'elle se retienne. Sinon, le charme aurait été rompu avant que les lumières de la ville ne s'allument toutes d'un coup. Mais l'événement tant attendu ne s'est pas produit. Seuls les phares des voitures éclairaient la nuit. Et plus le temps passait, moins il y en avait. Quand le carrosse a repris en sens inverse le chemin du mont Royal, la ville était toujours plongée dans le noir.

Noémie s'est endormie en pensant qu'elle avait bien fait de garder pour elle certains détails de l'épisode du belvédère. Ni Papou ni son Anne-Marie n'auraient compris. Même Sara ne comprendrait pas. Elle était bien trop sérieuse pour ça. Sérieuse comme le sont les petites filles de onze ans.

Pourtant, c'était elle, Sara, qui jouait le rôle de l'infante dans le rêve que Noémie venait de faire. Un rêve étrange où tout s'emmêlait. Noémie était assise dans une voiture qui ressemblait à celle de M. Petit. Sauf qu'elle était blanche et qu'elle brillait comme si elle avait été éclairée par un projecteur. Ce qu'il y avait d'encore plus étonnant, c'était que Noémie était assise au volant de la voiture. Personne ne l'accompagnait. Du moins était-ce ce qu'elle avait commencé par croire. Jusqu'à ce qu'elle découvre que quelqu'un avait posé une cage sur la banquette arrière. Une très grande cage, aussi blanche et lumineuse que la voiture dont elle occupait inexplicablement la place du chauffeur.

Noémie a ajusté le rétroviseur, et c'est alors qu'elle a aperçu Sara. Sara qui se balançait sur son perchoir tout en léchant un cornet de glace aux fruits de la passion. Et qui n'arrêtait pas de rire et de pousser de petits cris d'oiseau ravi. Une main s'était glissée au travers des barreaux de la cage. Une main chatouilleuse et baguée comme celle d'un prince et qui forçait Sara à se contorsionner comme une danseuse de cirque. Noémie s'est dit que sa copine devait avoir envie de faire pipi, elle aussi. Car Noémie avait très envie de faire pipi. Elle se trémoussait sur le siège du chauffeur en s'efforçant de ne pas perdre de vue ce qui se passait sur la banquette arrière. Apparemment, personne ne la voyait, elle. C'était aussi bien. Parce qu'elle avait retiré ses ballerines et s'était assise en tailleur. Comme ça, elle pouvait essayer de refréner son envie de pipi en calant l'un de ses pieds déchaussés entre ses cuisses.

La main continuait de chatouiller Sara. Qui continuait de pousser de petits cris d'oiseau pâmé. À un moment, elle est devenue si excitée qu'elle a raté une pirouette et a dégringolé de son perchoir. Elle portait un blouson de cuir qui lui arrivait à mi-cuisses. Jusque-là,

Noémie n'avait pas remarqué que sa copine était à moitié nue. Ce blouson, c'était le perfecto de M. Petit. Mais la main qui venait de se refermer sur le corps d'oiseau de Sara appartenait à un autre. Le libraire avait de petites mains grasses aux doigts boudinés. Cette main-là était longue et fine. Elle était ornée d'une bague de prince, la bague en argent que l'Anne-Marie avait offerte à Papou pour son anniversaire. Papou!...

Noémie s'est réveillée en criant «Papou». Papou! C'était Papou qui faisait des chatouilles à la meilleure amie de sa fille. Comment un homme de son âge pouvait-il se conduire aussi sottement?...

Il fallait qu'elle se rendorme maintenant. Malgré cette terrible envie de pipi qui la tenaillait encore. Elle ne raconterait son rêve à personne. Comme ça, Papou et Sara ne sauraient jamais rien de ce qui avait failli leur arriver cette nuit. De toute façon, ils n'auraient pas compris.

Manon en est à son quatrième bain de la journée. Cette fois, elle a dû mettre de l'eau dans une bassine qu'elle a fait chauffer sur la cuisinière à gaz. À cause de la panne. Mais elle grelotte quand même. Et elle éternue à tout bout de champ. Heureusement qu'elle a gardé ses vêtements sur elle. Sauf ses bottines naturellement. Peut-être a-t-elle attrapé froid en revenant de chez la dame? Elle n'a même pas pris la peine de se sécher avant de se rhabiller. Le mari de la dame a proposé d'appeler un taxi, mais Manon l'a assuré que ça n'était pas nécessaire puisqu'elle n'avait que l'avenue du Parc à traverser. À force d'éternuer, elle a les yeux qui pleurent. Mman dirait qu'elle l'a bien cherché. Aussi Manon essaie-t-elle de se retenir le plus possible. Mais elle n'y parvient pas toujours. Après chaque éternuement, elle dit pardon. Comme si Mman pouvait l'entendre d'aussi loin que du Lac-Noir.

La salle de bains embaume la rose. Peut-être Manon est-elle allergique à cette odeur un peu sucrée qui lui monte au nez? L'odeur de Mman, pourtant. Mais Manon ressemble si peu à Mman. Elles n'ont pas les mêmes façons de réagir. Ni les mêmes envies. Ainsi, jamais Mman n'aurait l'idée de prendre un bain à la chandelle au beau milieu de la nuit. Mman est toujours si raisonnable. Si elle voyait sa fille en train de barboter tout habillée en mangeant de la confiture à même le pot, elle la traiterait de folle. Alors que Manon ne fait que suivre le traitement prescrit par le docteur Prével. Mais Mman ne connaît rien à la médecine d'aujourd'hui.

La confiture ne fait pas vraiment partie du traitement. Mais Manon estime qu'elle y a droit après la soirée qu'elle vient de passer. Il suffit qu'elle ferme les yeux pour entendre de nouveau les hurlements du bébé et pour le sentir gigoter sur son ventre comme un têtard. La thérapie du docteur Prével a mis du temps à faire effet. On aurait dit que le bébé avait peur de l'eau. Même si Manon avait pris soin de remplir la baignoire de jouets. Trois petits canards flottaient dans le sillage du bateau de plastique que le docteur Prével lui a offert et qu'elle avait eu la bonne idée de mettre dans son sac à dos avant de partir. Le bébé a fini par s'endormir. Comme le gros chat aux prunelles rougeoyantes qui trônait sur le siège des toilettes. Manon n'osait plus bouger de peur de les réveiller et elle s'efforçait d'atteindre le robinet d'eau chaude avec son pied. Elle y est parvenue, mais l'eau qui coulait était à peine tiède. À cause de la panne. C'est ce que le mari de la dame a expliqué.

Tout s'est passé très vite après l'arrivée de la dame et de son mari. Quand Manon a entendu la porte d'entrée s'ouvrir, elle a bondi hors de la baignoire, elle a déposé le bébé par terre après avoir pris soin de l'emmailloter dans une serviette et elle a commencé à s'habiller. Le couple a fait irruption dans la salle de bains alors qu'elle enfilait son pantalon. La dame s'est précipitée sur le bébé qui s'était remis à hurler. Pendant qu'elle le frictionnait en chantant une berceuse, son mari bombardait Manon de questions. Il tenait une lampe de poche qu'il braquait sur son visage. Comme elle était intimidée, Manon ne disait rien. De temps en temps, elle faisait «han» pour montrer qu'elle écoutait encore. Quand il a commencé à l'injurier en la secouant par les épaules, la dame est intervenue. De sa jolie voix chantante, elle a déclaré que Manon était une pauvre fille qui n'avait pas toute sa tête et qu'il ne servait à rien de s'acharner à la faire parler. Son mari s'est calmé un peu. C'est à ce moment-là qu'il a expliqué quelque chose à propos des chauffe-eau qui fonctionnent à l'électricité. Et Manon a poussé un autre «han» pour signifier qu'elle avait compris. Au moment de s'en aller, elle a retrouvé l'usage de la parole pour dire qu'elle n'avait besoin ni d'un taxi ni d'argent. L'argent, le mari de la dame l'a glissé quand même dans la poche de son pantalon. Manon sait qu'elle ne l'a pas mérité, mais elle n'a pas osé le lui rendre. Le chat noir est sorti en même temps qu'elle. Heureusement, il ne l'a pas suivie, il est parti dans la direction opposée. En tournant le coin de la rue Villeneuve, Manon s'est aperçue qu'elle avait oublié de remettre le bateau du docteur Prével dans son sac à dos. Dommage! parce qu'elle aime bien inventer des histoires qui pourraient se dérouler à bord d'un bateau comme celui-là.

En arrivant chez elle, elle a croisé Jimmy sur le palier. Manon a fait «han» quand son voisin lui a demandé si tout s'était bien passé. Comme il était pressé, il n'a pas insisté. Manon lui a donné l'argent que le mari de la dame avait glissé dans sa poche. Un acompte sur ce qu'elle lui doit. Jimmy lui a filé un peu de poudre. Gratis. «Un p'tit cadeau de fête *for the best baby-sitter* en ville!»

Manon l'a remercié d'un « han ». Comment ce sorcier de Jimmy a-t-il fait pour deviner qu'elle est née un 15 septembre ? Chose certaine, il ignore qu'on n'en a pas encore fini avec l'anniversaire de la mort du grand frère, même s'il est déjà plus de minuit.

Manon est entrée dans sa chambre. Elle a retrouvé sa baignoire telle qu'elle l'avait laissée. Profonde et tout écaillée. Et elle a décidé de se payer la traite pour fêter ses vingt ans. Mélangée à une double ration de pilules du docteur Prével, la poudre est magique. Elle permet aux filles comme Manon de surnager.

Manon éternue encore. Est-ce un relent de poudre qui lui chatouille le nez ? Ses yeux larmoient de plus en plus. Ils doivent être rouges comme ceux du chat noir qui observait chacun de ses mouvements. Mman dirait qu'elle l'a fait exprès. Pauvre Mman ! Elle-même ne doit pas en mener large en ce moment. À cause de l'orage. Mman a toujours eu peur des orages. Quand Ppa n'était pas à la maison et que le tonnerre grondait au-dessus du lac Noir, elle courait s'enfermer dans la dépense. Manon courait derrière elle. Elle avait aussi peur que Mman. Elle ne faisait pas la fanfaronne comme le grand frère qui grimpait sur le rebord de la bay-window du salon, d'où l'on pouvait apercevoir les éclairs ricocher sur le lac. Si l'orage survenait à la nuit tombée, le grand frère était encore plus excité. Surtout s'il y avait une panne de courant en plus. Il battait des mains en suppliant Mman de le laisser sortir. Il voulait descendre jusqu'au quai. Avec un peu de chance, la foudre s'abattrait au milieu du lac, et le monstre qui se cache tout au fond resplendirait comme un animal phosphorescent. Mais Mman l'empoignait au collet et le traînait de force dans la dépense. Ils s'asseyaient sur des sacs de pommes de terre et ils attendaient que l'orage soit passé. Ou que Ppa revienne. Quand il les découvrait, recroquevillés sous les étagères garnies de conserves et de pots de confitures, Ppa traitait Mman de folle. Mais elle n'en croyait rien. Il arrivait même qu'elle refuse de quitter la dépense. Dans ces cas-là, Manon ne savait trop quel parti prendre. Le plus souvent, elle prenait celui de Mman, et la mère et la fille attendaient ensemble le retour du beau temps. Elles ne se parlaient presque pas, mais Manon voyait bien que Mman appréciait sa compagnie. À deux, elles avaient moins peur. Et Mman permettait parfois à Manon de déboucher un pot de confitures et d'y plonger le doigt.

L'eau est glacée, et Manon n'arrête pas d'éternuer. Elle s'essuie le nez avec son poignet. Un poignet tout couturé qu'elle entoure d'un bracelet de mousse. Si elle en avait l'audace, elle sortirait de la baignoire et elle s'en irait récupérer le petit bateau qu'elle a oublié chez la dame. Ce serait la meilleure façon d'échapper au monstre du lac Noir qui menace d'enserrer ses poignets entre ses tentacules coupants comme des lames de rasoir.

Le téléphone sonne. Peut-être est-ce la dame qui essaie de la rejoindre pour lui donner des nouvelles du petit Lou hurleur? À moins que ce ne soit le docteur Prével qui la rappelle? Ou Ppa qui s'est souvenu que c'est aujourd'hui l'anniversaire de sa fille unique? Manon ne répondra pas. Dans l'état où elle est actuellement, elle ne trouverait rien d'autre à dire que «han». Même à ce garçon qui l'a prise en photo parce qu'elle ne ressemble à personne. Surtout pas à Mman.

Tout en se rinçant énergiquement la bouche, Aimée Bégin-Béland songe qu'elle n'est pas près d'oublier la manière grotesque dont s'est terminé ce funeste samedi. Après l'épreuve des funérailles et de la réception familiale qui a suivi, la présidente des éditions Bégin n'était pas en état de paraître à une soirée, fût-ce fugitivement et dans l'unique but de recevoir l'hommage dû à son père Honoré. Émile le lui avait bien dit. Dommage qu'il n'ait pas su se montrer plus éloquent. Ou qu'il ne l'ait pas carrément obligée à rester à la maison. Mais il ne faut rien espérer de tel d'une chiffe molle comme Émile Béland.

Trois petits verres d'alcool, et tout s'est mis à tanguer, si bien qu'Aimée a été forcée de s'arracher aux bras du charmant garçon qui la faisait danser. Un photographe débutant mais plein d'avenir. Et bon danseur par-dessus le marché. Tout à fait le type de jeunes gens fonceurs dont Honoré Bégin aimait à s'entourer. Aimée ne se rappelle plus son nom, mais elle se souvient qu'il lui a longuement exposé ses projets. Il faudra qu'elle en glisse un mot à Philippe Ravary, lundi matin. Philippe trouvera certainement à mettre pareil talent au service de la maison. Même s'il n'a pas paru sympathiser outre mesure avec le garçon. Ce cher Philippe! Comme il avait l'air de se languir, le malheureux! condamné qu'il était à supporter le bavardage et les grands airs de la petite Légaré en attendant de faire faire un tour de piste à sa présidente.

Dominique Légaré... En voilà une qu'Aimée s'est promis d'envoyer valser avant que la saison ne démarre pour de bon. Étonnant tout de même qu'elle se soit présentée à la table Bégin, malgré tous les efforts de sa patronne pour l'en dissuader. Et en aussi charmante compagnie de surcroît. On ne saurait en effet imaginer couple plus mal assorti. Dominique et... Alexandre? Sébastien? Étienne? Étienne! Oui. Étienne... Gauvreau? Garneau? Un nom de poète en tout cas.

Chose certaine, Aimée n'aurait pu effectuer sans encombre la traversée de la salle de bal si son galant danseur n'avait glissé son bras sous le sien au moment opportun. À moins que ce ne soit ce cher Philippe qui l'ait soutenue tout au long de ce parcours houleux et mal éclairé? Ou un quelconque admirateur anonyme à qui elle aurait accordé une danse et dont elle n'aurait conservé aucun souvenir? Voilà qui ne laisse pas d'être inquiétant pour une femme aussi respectable et influente qu'Aimée Bégin-Béland. Heureusement que personne ne l'a suivie à l'intérieur de la salle de bains... Une fois parvenue à la terre promise, Aimée a congédié son compagnon, elle s'est enfermée dans un cabinet et elle y est restée jusqu'à ce qu'elle ait cessé de hoqueter. De cela, elle se souvient très bien. Tout comme elle se rappelle en être ressortie, soulagée mais vacillant encore sur les talons aiguilles de ses chaussures en lamé, fuyant le regard de Dominique Légaré qui se refaisait une beauté devant le miroir de l'antichambre. Un regard si chargé de mépris que tout autre qu'Aimée Bégin-Béland en aurait eu de nouveau l'estomac retourné.

Après deux stations prolongées au-dessus de la cuvette des toilettes, Aimée a le sentiment de revivre. Émile ne s'est rendu compte de rien. Apparemment, il ne l'a pas entendue rentrer. Il dort comme le bébé qu'il est resté, et ses fils font de même. Armée d'une lampe de poche, Aimée vient de s'en assurer en descendant au sous-sol qui leur sert de garçonnière.

L'ordre règne dans toutes les pièces de la maison. Maintenant qu'elle a terminé sa ronde, Aimée peut s'étendre entre les draps lavés de frais et reposer en paix aux côtés de son mari. Un air revigorant entre par la fenêtre ouverte. Cette maudite canicule est enfin terminée. Il pleut encore, mais le gros de l'orage est passé. Demain, ce sera l'automne, et l'hiver suivra presque aussitôt. Chacun retrouvera son sang-froid, Aimée y compris. Et cet été trop long, qui aura eu raison d'une constitution aussi robuste que celle d'Honoré Bégin, s'estompera dans la mémoire de ceux qui y auront survécu.

Aimée s'endort en récapitulant les événements de la journée. Elle s'y perd un peu, et les figures emmêlées de feu Honoré Bégin, de Philippe Ravary et du jeune Étienne au patronyme incertain s'amalgament pour ne former qu'un seul individu. Un individu qui lui fait des avances qu'elle ne repousse pas...

Mais les phantasmes d'Aimée ont vite fait de se dissiper. Émile s'y prend comme un manche. Il farfouille sous sa chemise de nuit comme s'il explorait une terre vierge. Elle s'abandonne quand même à ses caresses maladroites, après tout elle a l'habitude, bien que sa chiffe molle de mari n'ait guère abusé de ses prérogatives conjugales, ces derniers temps. Le voici pourtant qui plonge entre ses cuisses avec une vigueur telle qu'Aimée se surprend à gémir. Puis à sangloter. Des sanglots convulsifs qui décuplent l'ardeur d'Émile. Il y a des siècles qu'Aimée n'avait pleuré de la sorte. Son mari lui essuie le visage avec un pan de sa chemise de nuit. Elle se calme peu à peu.

L'image fugace de son père Honoré passe derrière ses paupières gonflées. Elle ouvre les yeux pour la chasser, et c'est à ce moment-là qu'elle atteint à la jouissance, une jouissance comme elle n'en a pas connue depuis une éternité. Émile ahane en mesure, il s'enfonce encore plus profondément, et Aimée jouit de nouveau, tandis qu'un flot de lumière se déverse sur le lit.

Le courant est rétabli. C'est ce que confirme la voix d'une speakerine du canal météo, qu'on entend depuis le rez-de-chaussée. Aimée se ressaisit aussitôt, elle force son mari à se retirer et rabat prestement sa chemise de nuit sur cette satanée culotte de cheval dont elle est affligée depuis la naissance de son fils aîné et que tous les traitements ont échoué à faire fondre. Émile ne proteste pas. Il se lève et se dirige vers le commutateur du plafonnier. Puis, il annonce en soupirant qu'il descend éteindre la télé. « Encore heureux que le poste n'ait pas sauté pendant l'orage... » rétorque Aimée qui s'active déjà à changer les draps.

L'AURORE

Tout est ténèbres dans la chambre 107 de l'hôtel Plaza. Seuls les corps emmêlés de Dominique Légaré et d'Étienne Garneau forment un îlot de clarté au milieu du lit large comme un paquebot. Voyageurs sans bagages, ils ne font que passer dans cette chambre d'hôtel où ils ont échoué presque par hasard. Au-dehors, les lumières de la ville se sont rallumées et le jour commence à poindre, mais les amants de passage ignorent tout de ce qui se passe à l'extérieur de la bulle de ténèbres où ils flottent. Ils se prennent et se reprennent sans se lasser, plongeant jusqu'à des profondeurs insoupçonnées qu'ils explorent, le souffle coupé.

C'est Étienne Garneau qui, le premier, refait surface. Revêtu du peignoir qu'il a déniché dans la salle de bains, il s'approche de la fenêtre dont il tire les rideaux. La pluie a cessé, mais l'asphalte luit et la ville est emprisonnée dans une nappe de brouillard qui enveloppe les immeubles à bureaux brillamment éclairés. Étienne fait signe à Dominique Légaré qui le rejoint, drapée dans un peignoir pareil au sien dont la poche de poitrine s'orne du monogramme brodé de l'hôtel. Pendant un moment, ils contemplent la ville qu'ils découvrent sous un jour nouveau. Une ville étrangère qui s'offre au regard des voyageurs qu'ils sont devenus, l'espace de quelques heures.

Dans le square qui s'étend en face du Plaza, un homme, coiffé d'un bonnet à pompon et affublé d'une espèce de cape taillée dans un sac-poubelle, a immobilisé le curieux attelage qui lui tient lieu de logis ambulant. Juché sur le rebord de la brouette qu'il a accrochée à un vieux vélo, il joue un air d'harmonica. Retranchés derrière leur fenêtre panoramique à double vitrage, Étienne et Dominique le voient sans l'entendre. Si le joueur d'harmonica venait à tourner la tête dans la direction de l'hôtel, peut-être remarquerait-il ces ombres jumelles qui se meuvent avec lenteur. Peignoirs entrouverts, debout face à la ville embrumée, les amants de passage se prennent une dernière fois avant de quitter cette chambre où ils sont montés comme on monte à bord d'un navire en partance.

Tandis que Dominique Légaré endosse sa défroque de femme de rêve, étonnée de se rappeler à peine l'ennuyeuse réception mondaine où se produisait, ce soir, son personnage, Étienne Garneau vérifie le contenu de son sac à bandoulière. Lui-même constate avec surprise qu'il n'a pas envie de faire de photos, alors qu'il pourrait tirer un parti excellent de la silhouette virevoltante qui se découpe à contre-jour. Il songe aussi qu'il a totalement oublié qu'Anne-Sophie attend son coup de fil depuis près de vingt-quatre heures.

Profitant de ce que Dominique s'est éclipsée dans la salle de bains, il saisit le combiné, fait le numéro, puis se ravise et raccroche avant que la première sonnerie n'ait retenti. Sans doute vaut-il mieux qu'il ne réveille pas sa copine à une heure pareille. Peut-être a-t-elle laissé un message à la maison? Étienne compose son propre numéro. C'est Eduardo qui répond. D'une voix mélodramatique, il se lance dans la narration d'une histoire embrouillée. Il parle avec une telle volubilité qu'Étienne a du mal à ne pas perdre le fil de son récit. Il semble qu'au retour d'une virée prolongée dans les bars des environs de l'avenue du Parc, l'inconstant hidalgo ait trouvé Françoise effondrée sur le plancher de la petite pièce qui sert de chambre noire à son fils. Apparemment, celle-ci n'a pas supporté le face à face avec son image de femme abandonnée, à tel point qu'elle n'a pu se retenir de déchirer certaines des épreuves qu'Étienne avait mises à sécher.

Plus Eduardo s'emberlificote dans ses explications, moins son interlocuteur s'intéresse à ce qu'il raconte. C'est que Dominique Légaré vient de ressortir de la salle de bains. Elle déambule dans la chambre où pénètre une lumière bleutée, tournoyant autour d'Étienne comme un papillon de nuit. Sous son fourreau de femme de rêve se dessine la forme en V de son slip, et Étienne fait glisser son doigt le long des coutures apparentes. Dominique ondule dans sa robe fendue qui remonte sur ses cuisses gainées de soie.

Le joueur d'harmonica accompagne du regard le couple qui traverse le square et qui vient de déposer un gros billet dans son bonnet. Des touristes sans doute, forcés de parcourir la ville par ce dimanche brumeux. À moins qu'en dépit de leur accoutrement de gens du monde ils n'appartiennent, eux aussi, à l'espèce itinérante des sans-abri et qu'ils ne transhument vers les quartiers plus populeux qui bordent le mont Royal?

À la canicule a succédé abruptement l'automne, et des nuées de feuilles encore vertes voltigent au-dessus des rues désertes. Hier encore, la ville était une serre chaude où flânaient les promeneurs. Maintenant, elle ressemble à ce qu'elle sera pendant des mois, une steppe où soufflent des vents glacés et qu'il faut traverser à la hâte avant de s'engouffrer dans les galeries souterraines qui font sa renommée.

Étienne et Dominique ont le sentiment que le temps s'est arrêté. Ils nagent encore à l'intérieur de cette bulle flottante qu'ils ont quittée à leur corps défendant, comme s'ils y avaient été contraints par quelque puissance supérieure. Tous deux ont la certitude intime que leur aventure n'aura pas de suite. Ils échangent de rares paroles qui n'expriment que des banalités. Aucun ne ressent la nécessité de faire part à l'autre de ses projets ou de ses aspirations. C'est comme s'ils n'avaient plus ni désirs ni envies, hormis le besoin de rester ensemble encore un peu. Et ils marchent, frileux et serrés l'un contre l'autre, s'arrêtant par moments pour s'embrasser sous la marquise d'un restaurant ou d'un cinéma.

Avant que le jour n'ait achevé de se lever, leur voyage sera terminé. L'un aura réintégré sa chambre noire mise à sac par une mère en colère et l'autre, le perchoir solitaire où niche son personnage familier.

Une fois parvenus au coin du boulevard Saint-Joseph et de la ruelle de l'avenue du Parc, ils se sépareront sans se dire au revoir.

Étienne Garneau remontera la ruelle, butant contre le filet des jumeaux. Machinalement, il lèvera la tête vers le balcon de la vieille Xanthos. L'aïeule n'aura pas encore repris son poste. Et Étienne regrettera de n'avoir pas fait l'ultime photo qui aurait pu clore *Fin de saison,* cette série perpétuellement en chantier et qu'il se vante d'avoir terminée.

Dominique Légaré marchera jusque chez elle sans se presser. Une Phoenix gris poussière s'attachera à ses pas et stoppera devant sa porte. Mais elle escaladera l'escalier qui mène à son troisième étage sans même jeter un coup d'œil sur son conducteur. Rendue là-haut, elle tentera de se persuader que c'est bien elle, Dominique Légaré, et non quelque personnage de sa composition, qui, il y a moins d'une heure, se laissait prendre par-derrière dans la chambre 107 de l'hôtel Plaza, peignoir retroussé jusqu'aux hanches et corps ployé au-dessus de la ville ondoyant dans le brouillard du jour naissant.

« *Oh le beau samedi que ça a été!* » Ainsi se sont-ils tous exclamés à l'issue de cette journée qui ne s'est pas terminée comme elle avait commencé petit matin radieux après-midi pluvieux soir d'orage mais beau jour tout de même beau jour malgré tout beau jour même si

n'est-ce pas ainsi qu'ils s'exclament toujours quoi qu'il advienne ou n'advienne pas non qu'ils n'en aient jusque-là ras le bol et plein le dos mais ils sont bien élevés ils ont du savoir-vivre ils ont appris à ne pas s'en faire avec des broutilles à ne pas se plaindre pour un rien à prendre les choses du bon côté aussi ont-ils la décence de dissimuler leur mécontentement de toute façon ils ne sont pas si mé-contents ou s'ils le sont ils s'empressent de le nier car après tout à la fin du compte et au bout de la ligne ils considèrent qu'ils ne s'en sont pas si mal tirés c'est ce qu'ils se disent en leur for intérieur satisfaits d'être passés au travers de cette journée et toujours confiants en leur personnage

alors ils s'exclament et tant pis s'il a fait un temps pourri tant pis si la panne de courant s'est prolongée indû-ment tant pis s'ils ont été déçus floués humiliés si ça a flanché dérapé raté tant pis s'ils ont manqué de pot de fric de culot tant pis s'ils se sont conduits comme des étourdis des lâches des salauds *si bien que je n'ai pas grand-chose au fond à leur envier moi Dominique Légaré qui les regarde de haut mais ne sais rien de leurs tourments intimes*

peut-être certains sont-ils la proie de quelque mauvais rêve tandis que d'autres dorment du sommeil du juste les uns et les autres récupérant du mieux qu'ils peuvent hormis cet énergumène de Normand Petit mon ex-camarade d'université qui rôde dans le quartier au volant de sa Phoenix couleur de brume

brume d'automne qui s'étend comme un filet autour des maisons du voisinage d'où n'émane aucune lumière impossible de voir au-delà des murs dont les contours se dérobent dans le brouillard tout est silence dans la ruelle de l'avenue du Parc on n'entend ni les pleurs du petit Lou hurleur ni les cris des jumeaux poussant la rondelle ni les rires de Sara bondissant comme un elfe

c'est à croire que le jour ne s'est levé que pour moi Dominique Légaré du moins en ai-je eu l'illusion alors que je contemplais la ville du haut de la chambre 107 de l'hôtel Plaza où Étienne Garneau m'avait entraînée pour me baiser et me rebaiser encore comme s'il avait trouvé la femme de ses rêves

un jour trompeur qui a perdu son éclat à peine avais-je refermé la porte derrière moi Dominique Légaré forcée de redevenir ce non-personnage confiné à sa fenêtre

quel effort de revenir à soi au retour de cette longue sortie en ville Dominique Légaré courant de-ci de-là de l'église Saint-Viateur à l'hôtel Plaza en passant par La Cage où s'assemblent les couples de hasard quel effort de courir à sa suite tout ce temps de la tenir en laisse de peur qu'elle ne m'échappe de la garder à vue une journée entière tant d'efforts déployés pour ne pas me perdre en la

*cherchant parmi tous ces personnages défilant sous ma
fenêtre comme dans mes pensées*

ces personnages si accaparants qu'ils m'ôtent le sommeil cher docteur Prével alors que le moment serait venu d'en prendre congé vous-même êtes des leurs docteur tout comme cette grosse fille à la face de lune que vous bourrez de somnifères pendant que je me paie nuit blanche après nuit blanche et tout comme ce garçon charmant dont je ne sais s'il existe réellement tant l'écart est grand entre l'apprenti photographe hâbleur et l'amoureux quasi muet attirant Dominique Légaré sous les porches des cinémas pour l'embrasser à pleine bouche

Étienne et son double étrange et familier

l'amant de la chambre 107 et le garçon d'à côté voleur d'images que j'ai observé tout l'été de ma terrasse surplombant la ruelle de l'avenue du Parc et auquel j'ai servi de modèle en feignant de l'ignorer

plus jamais Dominique Légaré ne posera pour Étienne Garneau désormais nous nous enverrons la main d'un balcon à l'autre nous nous croiserons dans la rue nous ferons un brin de causette sur le trottoir peut-être me présentera-t-il à sa copine Anne-Sophie peut-être même l'inviterai-je à grimper dans mon perchoir un jour qu'il sera seul et désœuvré nous y ferons l'amour en nous remémorant cette orageuse journée de fin de saison

une saison qui se meurt aujourd'hui tandis que se lève à grand-peine un jour brouillon et que jaillissent de l'étage au-dessous les pleurs de petit Lou

c'est le premier matin du monde dirait-on à l'entendre hurler comme un bébé qui vient de naître

bientôt surgira le fantôme rassurant de la vieille Xanthos toujours vêtue de noir suivie de Mireille Racine

Sara et d'autres qui lèveront la tête vers le soleil mouillé émergeant du brouillard.

« Oh le beau dimanche que ça sera ! » Ainsi s'exclameront-ils tous une fois de plus
*   alors que je gagnerai mon lit en récapitulant les événements de cette journée au cours de laquelle rien ne me sera arrivé*
*   presque rien.*